Le rocher perdu

Abdellatif ATTAFI

Le rocher perdu

roman

Editions EDDIF

M.Y.B. Retnani
Editeur

© Éditions Eddif, 1995
71, avenue des F.A.R., 21000 Casablanca, Maroc
ISBN 2-908801-85-X

Le jour du départ

Ce jour-là, il se réveilla à l'aube et profita du calme régnant à la maison pour faire quelques prières sur la terrasse où le linge immobile se laissait pénétrer d'une lumière qui lentement ramenait la vie à la cité. Alors que le soleil se levait, Mustapha se mit en marche dans la direction du centre-ville. Il allait confusément à la recherche d'une mémoire déconstituée par le temps. Soudain, il se mit à genoux et il baisa le sol, ou plutôt les traces de ses pas qu'enfant, il avait imprimées sur le ciment encore frais des trottoirs de son quartier.

Au tournant de la rue, il lut les mots qu'il avait gravés en français sur les murs et annonçant ses amours à l'âge du rêve limpide :

"Fatima, je brûle pour toi. Tu es ma chandelle. Tu es l'eau de mes yeux." Mustapha pensa un instant à elle. Il l'avait perdue de vue depuis longtemps, et à ce jour, dans son esprit, résonnait alors comme un écho le prénom de Fatima.

Il passa près du café "La fleur de la montagne" où il venait parfois suivre sur le petit écran, parmi une foule délirante, certains matchs de football. Sur la terrasse, presque entièrement couverte d'une vigne grimpante, Mustapha aperçut un groupe de jeunes qui tuaient le temps devant des verres de thé.

Mustapha avança devant la zaouia, lieu de ses premières prières. Les branches du figuier, chargées de fruits, touchaient le sol et protégeaient du soleil la source qui guérit la toux chez les nouveau-nés. Les femmes, en file indienne, avançaient tenant à la main des bidons qui, plus tard, seraient remplis de cette eau sacrée dont le flot continuait en direction de l'olivier un peu abandonné.

Parvenu au terrain vague où avaient eu lieu les moments les plus sensationnels de sa vie, Mustapha s'arrêta abruptement. Il s'assit et, dans sa mémoire, déferlèrent les images des victoires et des défaites que son équipe avait vécues sur cette terre aride.

D'un quart de tour, il se tourna pour regarder son école primaire, où se dressait désormais un récent ensemble de trois bâtiments à trois étages, peints en blanc, avec de grandes fenêtres sans volets et des arbres plantés dans la cour. Il se remémora ce jour de grandes vacances où le jardin de l'école était envahi de ronces et de mauvaises herbes. Mustapha aurait pu se dire : "A cause de toi, je pars. Je ne suis ni heureux ni malheureux." Mais, par respect pour le lieu de ses premiers apprentissages, il garda le silence.

Ensuite, il passa devant le collège Ibn Batouta où il avait obtenu son brevet d'études secondaires. Par inquiétude ou à cause de la marche sous cette chaleur torride, son cœur battait fort.

La promenade continua en direction du Boulevard Pasteur que domine le Consulat de France, avec ses façades donnant sur un jardin orné d'un assortiment de jonquilles, d'œillets et de roses.

A présent, Mustapha suait car le soleil tapait fort à la verticale et même dans les rues de la vieille médina, enchevêtrées comme des lianes. Alors que les coins d'ombre se rétrécissaient sur l'escalier menant au marché, il entendit un tintamarre en provenance du petit souko. Sous le toit à claire-voie, les ferblantiers dans leurs échoppes travaillaient avec précision sur des morceaux de tôle. Mais ils tapaient tellement fort que les passants avaient du mal à entendre le "laissez passer" des porteurs. Chez les tisserands, pendaient des couvertures en laine et des jellabas que convoitaient quelques sans-abri. Des femmes, dont certaines portaient le voile, faisaient du lèche-vitrines bras dessus, bras dessous, dans le coin des orfèvres. Mustapha, subitement, se rendit compte qu'il était midi passé. Il rebroussa chemin et rentra à la maison à petites foulées.

Chez lui, il se mit à la table ronde et basse, genoux croisés, en face de son père et à côté de sa mère. Il trempa dans une sauce tomate, assaisonnée de persil et d'ail, le pain fraîchement sorti du four du quartier, le tout accompagné de morceaux de cabillaud frit. De temps en temps, il se servait d'une fourchette pour sa salade, ou d'une cuillère pour des carottes râpées, trempées dans du jus d'orange fait maison et pigmenté de cannelle de Ceylan.

A table, les parents ne comprenaient pas pourquoi il devait partir et, contrairement à l'habitude, c'était le silence, ponctué par le bruit d'un ventilateur qu'on entendait de plus en plus. Le téléphone sonna, un ami d'enfance fit ses adieux à Mustapha. Il se demandait comment était la vie là-bas, de l'autre côté de la Méditerranée. Il se souciait de celui qui aimait tant la mer et le bleu du ciel. Mustapha, prêt à partir, savait qu'au nord de la France, il n'y avait ni les allées de palmiers où se promenaient les amoureux, ni le rythme des vagues quand elles surgissaient pour disparaître aussitôt.

On frappe et la porte s'ouvre. Grand-père, un homme petit, ridé, chauve, penché sur sa canne et vêtu d'une jellaba blanche faite d'un léger tissu, avança. Un courant d'air balaya la salle éclairée par de grandes fenêtres ouvertes, donnant sur la colline, pleine d'oranges et de genêts. Le vieil homme traversa la salle et s'assit dans un coin, près de la table basse sur laquelle se trouvait un plateau, une théière en argent et des verres encore vides. Grand-père, tout en dégustant la tasse de thé que sa belle-fille venait de lui verser, dit : "Le savoir, cela se cherche même en Chine, s'il le faut."

Mustapha se leva, posa un baiser sur la tête de grand-père et se dirigea vers sa chambre où il commença les derniers préparatifs. Son cœur palpitait. Dans sa tête, un défilé d'images qui n'arrêtait pas. Il essaya tant bien que mal de les visualiser. Un rocher nu, parfois voilé de blanc, revenait sans cesse, dominant l'ensemble et s'accrochant à son esprit. C'était son rocher, son île verte, son cheval pur sang, son bateau à voile, son jardin de géraniums, son compagnon fidèle. Il le retrouvait à chaque marée basse. Et maintenant, il était amené à l'abandonner.

La veille du départ, quand Mustapha était venu lui dire adieu, la marée était haute. Les vagues gagnaient de plus en plus de terrain, si bien que le sable blanc qui s'étendait entre le rocher nu et la mer ne pouvait plus se voir. L'eau avançait si vite que bientôt elle couvrirait le rocher. Le soleil éclairait la plage d'une vive lumière qui s'ancrait au fond de la pente que l'eau avait remontée. Au rivage, la mer était bleue, tout comme à l'horizon et malgré le vent mort, les vagues valsaient encore, laissant derrière elles une longue traînée d'écume. Elles tenaient absolument à couvrir le rocher qui, d'ailleurs, les laissait faire. Cette image tellement authentique dérangeait Mustapha qui n'arrivait pas à s'en défaire, et aujourd'hui, il la revoit toujours intacte au fond de son âme.

Il finissait ses préparatifs quand on l'appela pour le café. Il fourra dans un sac quelques photos du rocher prises à différentes saisons. Ainsi, il était sûr d'emmener en France une partie de son enfance.

En fin d'après-midi, derrière des volutes de fumée, il disparut, bouffé par le temps, emporté par le mythe, laissant derrière lui des esprits confus, des yeux en larmes et des cœurs blessés. Le moment de son départ fut émouvant.

Une heure plus tard, la nuit avait enveloppé Tanger, ville de confusion et de lumière, de parfum et de sueur, d'opacité transparente, ville projetée vers l'Europe et appartenant à l'Afrique, ville où se croise la chaleur de la Méditerranée et l'indifférence de l'océan, ville où se confrontent la civilisation de l'Est et celle de l'Ouest.

Dans le train

Sur le quai timidement illuminé par des réverbères mal lavés, Mustapha longeait le train à la recherche d'une place.

Bien avant, des barbus quadragénaires vêtus de blanc lui avaient refusé l'entrée d'un compartiment à moitié vide : "Ces places sont prises", lui avait dit celui qui était debout devant la porte en le fixant avec des yeux accusateurs. Sans insister, Mustapha reprit ses sacs et rebroussa chemin.

Au bout du quai, il trouva un compartiment où trois jeunes venaient de s'installer. Après les avoir salués, il rentra, mit ses affaires dans le filet à bagages et s'installa. Une heure plus tard, la nuit tombait sur Algésiras que le train, comme tous les soirs, quittait à destination du pays basque.

Au cœur de la nuit, Mustapha laissa le compartiment en fête et sortit dans le couloir. Il s'accouda sur le rebord d'une fenêtre, la tête entre les mains, et se mit à rêver.

Il voyait danser son rocher vêtu de blanc que le rythme des vagues déshabillait tout doucement. Sur une surface de couleur azurée, il regardait l'habit en tissu blanc s'étaler et se faire emporter par le vent du Nord. Se sentant en fusion avec l'âme du rocher dont il n'arrivait pas à se détacher, des frissons le traversèrent. Nostalgique, il souffrait déjà quand Juan, l'un des voyageurs du compartiment originaire de la région basque, lui demanda d'une voix douce :

"A quoi penses-tu, Mustapha?

—Je pense à mon rocher", lui répondit-il.

Juan resta silencieux un moment et, d'un air pensif, lui dit : "Le rocher qui t'a vu pousser et te transformer! Le rocher qui t'a entendu méditer! Le rocher dont tu ressentais les battements du cœur et que le temps t'a poussé à abandonner!"

Au bout d'un moment de silence, Mustapha, un peu surpris de la rapidité avec laquelle Juan avait parlé avec tant de perspicacité, semblait chercher ses mots. Un instant après, il lança dans l'air comme s'il parlait à tous les Basques : "Tu ressens ce que je ressens. Tu comprends ce que des millions de personnes ne peuvent jamais comprendre. Et il t'a fallu bien peu pour tout saisir. As-tu ton rocher, toi aussi?"

Juan, sans perdre une seconde, comme s'il s'attendait à une telle question, reprit :

"Mon rocher a été arraché en pleine nuit, transporté ailleurs et torturé jusqu'à la mort. Je vois encore son sourire gravé aux murs. J'entends ses cris à travers des écrits qui circulent malgré la censure de l'homme. Ses larmes coulent de mes yeux quand je suis triste.

—Et quand es-tu triste? demande Mustapha.

—Je suis triste quand je n'entends plus le ressac des vagues. Quand mon rêve s'immobilise. Quand je sens s'arracher mes racines. Quand mon corps sèche comme un arbre sans vie et que je regrette mon passé. Cet état d'âme m'habite pendant les instants sombres, les moments sans horizon et les nuits de solitude froide. Le reste du temps, je respire en dehors des quatre murs. J'enfonce mes pieds dans la terre et j'espère, en fixant l'étoile du Nord, voir se dissiper la nuit pour laisser se lever la lumière du crépuscule qui illumine les barbes en désordre des hommes oubliés par les autres dans des sous-sols humides et sombres."

Mustapha, un peu comme en transe, interrompit Juan et dit d'une voix qui venait des profondeurs:

"L'instant viendra où l'oiseau libéré des cages de fer chantera sur la branche du figuier béni qui protège la zaouia. Il annoncera d'un chant, devant lequel même les montagnes s'inclineront, que les enfants nés sur des terres brûlées et calcinées n'auront plus à boire l'eau de la source du marabout qui guérit la toux. A ce moment, le soleil ne refusera plus de se lever. Les saisons retrouveront leur ordre quand le vent aura porté aux oreilles du même marabout la parole de ceux qu'on voulait muets. L'oiseau les entendra avec clarté comme s'ils étaient à ses côtés, en marche sur un sol propre avec, dans leurs mains, des torches dont les flammes brûleront à jamais."

Et, un peu comme s'il revenait à lui, il continua sur le même ton :

"En attendant, j'aimerais tant que ce voyage dure et que cette temporalité devienne une éternité de rêve. J'aimerais ne pas descendre de ce train et voir mon rocher fleurir au désert, entre les mouvements des vagues et dans le creux de la main de tous les exilés, aux quatre coins du monde."

Tard dans la nuit, les deux voyageurs rejoignirent le compartiment où ils purent, cloués à leur siège, un peu vidés, dormir quelques heures.

La traversée de l'Espagne

Le jour se leva en renvoyant ses premiers rayons sur les coupoles et les dômes des églises dressés vers un ciel sans fin. La lumière coulait des sommets des montagnes et inondait les plaines semées de vie par des hommes qui dormaient encore. Mustapha, sortant de son sommeil, se sentit moins nostalgique que la veille. Sa discussion avec Juan, son envie d'apprendre l'aidèrent à supporter la distance qui le séparait de son rocher et qui grandissait avec le voyage. Il pensa un instant qu'un jour, il y aurait d'autre départs et des séparations douloureuses avec d'autres rochers. Mais il chassa vite de son esprit cette idée car il savait que rien au monde ne pourrait remplacer Son rocher. Il sentait que la distance croissante le rapprochait de lui si bien qu'il lui sembla entendre ses battements de cœur en provenance des profondeurs de la mer agitée par le vent de l'Est.

Ici, au milieu de l'Espagne, il était difficile de connaître la direction du vent qui se déchaînait sur un paysage composé de villages sans arbre, de villes sans gare, de fleuves de sable et de cimetières de voitures. Mais Mustapha savait qu'en s'approchant du Nord, le vert gagnerait de plus en plus de terrain, un peu comme chez lui.

Dans le compartiment, Mustapha avait disposé sur un bout de table une assiette en carton remplie de cornes de gazelle que sa mère tenait à lui donner. Ali, un autre Marocain du Sud, servit du café, alors que la musique andalouse se répandait dans l'air.

De la grande fenêtre ouverte, entrait une brise chaude. Les trois voyageurs vibraient au rythme de castagnettes d'ivoire. Dans les yeux de Mustapha, la danseuse était vêtue d'une longue robe rouge qui se soulevait quand elle tournait sur elle-même. Dévoilée, son visage fin annonçait qu'elle était mi-berbère, mi-andalouse, sans doute une descendante des générations métisses qui remontaient à la domination de l'Espagne par les Maures. Elle chantait d'une voix magique :

"Laissez vos regrets derrière. Marchez tout droit ou en dansant, habillés de robes ou de costumes et vous verrez couler de vos épaules des traces de froid. Le temps vous a usés et les hommes ou les femmes ont abusé de vos grands cœurs. Pendant les instants sombres, main dans la main, comme des matadors au milieu de l'arène, nous trouverons le détroit pour traverser les montagnes et esquiver l'orage. Ensemble, nous oublierons l'inquiétude. A deux, nous parcourrons le temps, habillés de joie. Sans regrets, nous nous userons à nous aimer étendus au bord de cette mer, aux pieds des vagues qui viendraient à chaque fois nous rappeler l'essentiel de la vie douce et cruelle parfois." Ce dernier refrain trouva un fort écho chez Mustapha.

Vers la fin de l'après-midi, en contemplant la région du nord-ouest de l'Espagne, Mustapha pensa au récit d'Ali qui avait étouffé le bruit des roues au contact des rails. Il avait dit au groupe attentif que, de sa plaine verte, il regardait l'océan dont les vagues venaient, en s'inclinant, caresser le bord de la mer pour s'étendre ensuite sur le sable. Pendant l'orage, ces mêmes vagues s'agenouillaient devant la plaine qui, comme une femme assoiffée et en flammes, se donnait au vent pour éteindre le feu qui la consumait. Quand l'orage était trop fort, il se mettait dos à l'océan. Il voyait, dans les bras de la montagne, des champs où les femmes travaillaient la terre. Le village, comme un faux collier, semblait vide. Ali se sentait égaré, seul et froid dans un lieu, jadis fleuri, mais aujourd'hui hostile parce qu'abandonné par les siens. Il regardait de nouveau l'océan à la recherche d'une lumière qui sortirait de l'eau remuée pour le guider. Au rythme des mouvements des vagues, derrière une légère brume, il apercevait des lumières d'usines, des bouches de métro sous une pluie fine d'où sortaient ses semblables en ligne, accompagnés d'enfants sans racines. Mustapha émergea de sa pensée, secoua la tête et vit l'attrape où il allait lui-même, comme Ali et bien d'autres, poser le pied. De nouveau, le rocher reprit le devant de la scène, mais cette fois pour lui signifier de continuer le voyage. Ce dernier, décidé à poursuivre sa route, savait que des villages entiers s'étaient vidés et que, dans d'autres, il ne restait que de rares hommes incapables de travailler et des femmes avec de vieux chiens, servant de gardes. Les hommes, en masse, étaient partis en France, dépossédés de leur terre. Il les vit bien des fois au port de Tanger dans leurs voitures surchargées, faisant la queue et attendant le prochain paquebot en direction de l'Espagne. Il ne comprenait pas comment cela était possible. Mais il savait que, paradoxalement, leur départ stimulait l'économie de la brique, du ciment, de l'inflation et de la construction.

A la frontière franco-espagnole, les voyageurs changèrent de train. Il y avait moins de monde. Tout allait plus vite. Les gares étaient plus belles. Les uniformes des contrôleurs semblaient mieux repassés. De son siège, Mustapha regardait des étendues de champs que ponctuaient des villages et des villes qui surgissaient d'antan, fissurés, blessés par les bombes qui les avaient amputés. Aujourd'hui, ils brillaient de leur charme sous une lumière d'espoir. Juan descendit à Bordeaux. A la gare d'Austerlitz, Mustapha et Ali se séparèrent. Pour aller à Lille, il devait prendre un autre train.

La descente

Arrivé à la gare de Lille, Mustapha hésita à descendre du train. Il sentit rapidement le vent frais sous la pâleur du ciel brumeux. Une faible lumière éclairait sombrement les quais. Dans le grand hall, il déposa ses deux grands sacs, se frotta les mains et regarda à droite, puis à gauche, comme s'il cherchait quelqu'un tout en sachant que personne ne l'attendait.

Il leva ses yeux au plafond et resta ébahi devant la peinture d'une femme de rêve qui, escortée de deux colombes, volait en traînant derrière elle une robe de soie. Elle venait de sortir d'un arc brisé, tenant à la main une branche d'olivier, éclairée d'une lumière légère en provenance d'un autre ciel. Mustapha, pour un instant, se vit voler avec la femme, tenant dans sa main droite un bout de la longue robe blanche qui flottait en direction du vent.

La fraîcheur du temps ramena Mustapha à la réalité, il était dans une ville où il n'avait ni adresse, ni famille, ni ami. Il ne ressentit cependant aucune crainte.

A l'arrêt de l'autobus, attendant sous un ciel froid qui maintenait la cité dans une semi-obscurité, Mustapha remarqua la foule errante, indifférente au mauvais temps. Puis, il vit des femmes seules qui buvaient en fumant autour d'une fontaine dont les jaillissements d'eau, couleur d'arc-en-ciel, n'en finissaient jamais. Un peu plus loin, Mustapha aperçut une publicité accrochée sur un mur en ruine. Elle annonçait une réduction du prix des cercueils aux pompes funèbres du "quartier de la gare". Il trouva l'affiche bizarre et imagina son grand-père dans un cimetière peint en blanc, où des enfants, formant un cercle sur un tapis vert tacheté de fleurs de toutes les couleurs, jouaient une musique sur laquelle il dansait en compagnie de tous ses vieux amis.

Fatigué, il s'assit un moment pour regarder rouler en silence les voitures de couleurs vives. Elles ne dégageaient, lui semblait-il, presque pas de fumée, mais les fourgons de policiers qui passaient à vitesse réduite devant la grande porte de la gare laissaient derrière eux de gros nuages de diesel brûlé. De la porte principale de la gare où pendait une grande horloge indiquant midi, sortaient des gens en costume avec des mallettes noires. Ils marchaient vers un lieu où ils n'étaient pas heureux d'aller. Cela se voyait sur leur visage triste.

Dans le bus en direction de la Cité Scientifique, Mustapha regardait les passagers aux yeux obliques qu'il voyait en chair et en os pour la première fois. De temps en temps, au fond, un couple échangeait quelques paroles alors que deux vieux somnolaient. A l'avant, quatre jeunes en blouson de cuir noir vibraient à l'écoute de leur baladeur. Tout ce petit monde s'ignorait. Dehors, les maisons aux portes fermées et aux rideaux tirés manquaient de couleur.

Après le pont, le paysage changea. Il y avait moins de monde et plus de terrains vagues. Loin de la bordure de la route, Mustapha distingua, derrière des buissons, des villas en brique, avec des toits en tuile sans gouttière et des perrons où des pots de fleurs colorées brillaient sous le peu de lumière qu'il y avait. Quand Mustapha aperçut un panneau qui indiquait la Cité Scientifique, il appuya sur un petit bouton blanc comme le faisaient ceux qui désiraient descendre.

Mustapha se dirigea vers le restaurant universitaire de la cité, acheta des tickets de repas et monta manger. Au bar, quelqu'un vint le saluer. C'était Dadi, un Tangérois qui était à Lille depuis trois ans déjà et qui avait un appartement. C'est là que, plus tard, Mustapha rencontra Rachid et Hamid, des étudiants comme lui, qui s'étaient installés chez Dadi en attendant de trouver une chambre à louer. Dans l'après-midi, les Marocains jouèrent au football avec Mustapha, encore fatigué du voyage. Ivre de sommeil, les paupières lourdes, il ouvrit son sac de couchage et dormit jusqu'au lever du jour.

Le lendemain, il se réveilla reposé. Il fit une immense vaisselle qui dépassait les deux éviers, balaya, ouvrit les fenêtres pour dégager l'odeur de la cigarette et sortit au balcon arroser les plantes assoiffées. Ensuite, il entra dans la salle de bain, se rasa et prit une douche.

Dadi, qui venait de faire les courses "Au Soleil Levant", une épicerie tenue par un couple marocain, se trouvait déjà à la cuisine où il préparait une paella pour toute l'équipe de football de la veille.

Rachid éplucha les carottes. Mustapha décapita les crevettes. Hamid nettoya le poulet. A midi, après que le chef-d'œuvre fut mis au four, les copains arrivèrent tenant à la main des baguettes, des desserts et des boissons.

Tard dans l'après-midi, ils allèrent tous au parc de Heron où de jolies femmes se baladaient, accompagnées de leurs époux ou de leurs enfants, beaux comme les roses qui poussaient tout au long des deux rives du fleuve presque immobile. Pendant qu'il jouait aux cartes, Mustapha se risquait à jeter des regards furtifs, chargés d'envie, sur les amoureux qui s'embrassaient à l'ombre des arbres. Il se détacha alors du groupe pour se remémorer l'instant de son premier amour.

Le soir, tandis que la lumière des étoiles se posait sur les grains de sable jaunes et mouillés, comme se poserait au sol assoiffé le corps d'une feuille arraché par l'automne, il aperçut une silhouette, un peu penchée vers l'avant, laissant derrière elle sa chevelure qui, libre comme le vent, lui caressait les hanches. La créature balançait ses épaules en bougeant grâcieusement ses longs doigts au dessus des yeux, puis devant son corps flottant, comme dansent les algues au fond de la mer. Derrière elle, les traces de ses pas servaient de refuge à l'eau des vagues qui perdaient du terrain. Pieds nus, sa marche ponctuait le temps clair d'un ciel chargé d'étoiles. Quand elle arriva au milieu de la place, l'oiseau perdu vint se poser sur son épaule droite. Ensuite, sortait de l'eau immobile un ensemble de dauphins pour la saluer de la queue et replonger ensuite dans l'eau remuée d'où ils resurgissaient aussitôt pour exécuter le même mouvement. Elle s'approcha de l'eau. Le vent frais, rendant son contact un peu frileux avec la vague, l'aida à prendre totalement conscience de son corps harmonieux et porteur d'une paix presque religieuse. C'est dans ce calme de la mer qui étouffait le mouvement des vagues bientôt peu nombreuses qu'ils s'étaient connus. Leur liaison dura jusqu'au jour où son père, le patriarche autoritaire, vint briser brutalement son union avec elle. Depuis, Fatima, son éternel amour, gifla la vie en plongeant dans un mutisme profond.

Au parc, le soleil se couchait juste derrière les ailes immobiles d'un moulin fatigué par le passage du vent. Tout le monde rentra chez soi. Hamid, Rachid et Mustapha retournèrent chez Dadi.

Le début des cours

La rentrée. Mustapha mit quelques cahiers dans un cartable de cuir que son grand-père lui avait offert. Sa première classe allait commencer à neuf heures. Il avait largement le temps de prendre une douche et son petit déjeuner. Hamid et Rachid ronflaient encore dans leurs sacs de couchage, en plein milieu de la salle de séjour. Dadi dormait dans sa chambre avec la porte entrouverte. Mustapha, après avoir pris sa douche, se fagota d'une chemise et d'un pantalon un peu chiffonné dont les couleurs n'étaient pas assorties. Et sans faire de bruit, il sortit, acheta une baguette fraîche et des croissants. De retour, il fit le café, prépara la table et réveilla tout le monde. Il était sept heures trente.

Les quatre tasses de café étaient vides quand, sur R.T.L., huit heures sonnèrent. Personne n'essaya d'engager une discussion et surtout pas Hamid et Rachid qui, déjà, tiraient fort sur les Gauloises coincées entre leurs lèvres.

Après les brèves informations, Mustapha prit son cartable, mit sa veste en cuir, salua tout le monde, claqua doucement la porte, et descendit dans la rue. Un petit vent balayait les feuilles un peu égarées qu'une pluie fine avait lavées. Elles tournaient sur elles-mêmes, se déplaçant d'un trottoir à l'autre un peu comme Mustapha qui, en se dépêchant, évitait de marcher dessus. Sur les branches à moitié nues, les oiseaux ne chantaient pas. Ils pensaient à l'hiver. Dans la rue déserte, deux autobus, pleins à craquer, passèrent sans s'arrêter. Mustapha se souvint de ses moments de sortie de lycée où, dans l'unique autobus de midi, s'entassaient des élèves, des employés et des sans emploi. Ils s'interdit de penser aux acrobates qui se tenaient debout sur le pare-choc arrière pour voyager gratuitement.

A sa plus grande surprise, un autobus passa toutes les trois minutes. Exactement comme c'était inscrit sur le cadran qu'il avait regardé dès son arrivée. Rassuré, un sourire net se dessina sur son visage lisse. Une lumière, couleur de sable, illumina la rue qui devint chaleureuse et attirante. Mustapha espérait trouver une chambre dans ce quartier où il commençait à avoir certains repères. Il attendait toujours dans un silence troublé par le bruit des voitures et des motocyclettes. Et d'un seul coup, la porte de l'autobus s'ouvrit. Il monta, composta son ticket et alla s'asseoir sur les sièges du fond, devant un jeune en blue jean et chemise à rayures rouges et vertes. Au campus, l'autobus se vida. Sur le trottoir dallé, le jeune garçon marcha, sûr de son chemin. Mustapha l'aborda, lui demandant de le guider. Dans cette immense université, les étudiants couraient en direction des bâtiments des cours et Mustapha fit de même.

A neuf heures moins quart, il s'assit dans l'amphi 1 où mille étudiants s'étaient entassés. Ils suivit attentivement son premier cours de philosophie. Le professeur, en chef d'orchestre, ne délivrait ses notes qu'en état de transe. Elle n'ouvrait ses yeux qu'en face du mur, pour faire demi-tour et continuer ses cent pas. Mustapha ne comprenait rien à ce qu'elle disait. Mais il était persuadé de pouvoir décoder son langage un jour. Il n'avait pas senti le temps passer. A la fin du cours, il réussit, en demandant à droite et à gauche, à bien noter le titre. C'était "l'ambivalence de la prohibition de l'inceste."

Mustapha, émerveillé par l'organisation des études, les conditions pédagogiques et l'ambiance entre étudiants, se ressaisit. Le début des cours, malgré de nombreuses difficultés, ne se passa pas si mal. Il avait tendance à se retrouver avec ses compatriotes, surtout à la cafétéria et au restaurant universitaire. Sa curiosité le poussa à avoir aussi des relations avec des étudiants français qui parfois l'invitèrent à passer des week-ends et des fêtes en famille. Il connaissait les préjugés de certaines personnes au sujet d'un étranger venu d'Afrique. Mais cela le poussait à nouer de plus en plus de relations. En bon jardinier, il aidait ceux qui en avaient besoin. D'ailleurs, il se fit beaucoup d'amis. Dans ses lettres à sa famille, il racontait que son champ d'amis s'agrandissait, mais qu'il n'avait toujours pas trouvé de logement. D'ailleurs, il ne comprenait pas pourquoi le monsieur à voix grave ne l'avait pas rappelé. Il avait pourtant une chambre à louer sans chauffage, ni douche, ni même eau chaude, avec un lit, une table, une chaise, une commode à quatre tiroirs et une fenêtre sans volets. Il se demandait qui aurait pu louer une telle chambre où même les toilettes se trouvaient au bistrot, au rez-de-chaussée. Mais il réalisa vite qu'il n'était pas le seul à chercher un logement dans cette ville pleine d'étudiants.

Certains soirs, démotivé pour préparer ses cours et faire ses devoirs, il descendait au bistrot prendre un pot. Il pensait à sa situation qui se compliquait, car chez Dadi le manque d'espace rendait la vie de plus en plus dure. Rachid, frustré et déçu, s'était adonné à l'alcool. Hamid regardait la télévision tout le temps. Dadi rentrait très tard le soir pour dormir. Mustapha n'arrivait plus à mettre la main sur ses feuilles de cours ni à travailler comme il le devait. Pendant les périodes des premiers examens, à la mi-novembre, il sut qu'il allait rater sa première année universitaire. Mais il ne pouvait rien faire. Sa situation le hantait. Certains soirs, il n'arrivait plus à dormir. Il réfléchissait sans cesse.

Un matin, en se réveillant, il réalisa qu'à cause de son nom, les semaines passaient. sans qu'il ait trouvé une chambre. Il avait saisi la différence entre les couleurs des cieux, les chants d'oiseaux, la foi des hommes. Mais il continuait à prétendre que le mythe vivrait à jamais. Il savait qu'il ne rêvait plus. Ou plutôt que la couleur de ses rêves avait changé. Il pensait à tous ces coups de téléphone qui n'avaient abouti à rien. Il rougit et une vague de chaleur le traversa. Il voulait voir la terre s'ouvrir et l'avaler. Cœur blessé, il ne savait que faire de ses journées qui n'en finissaient jamais. Il perdit le goût de lire et de travailler. Il oubliait de manger. Il restait silencieux pendant des heures à regarder l'obscurité.

Une nuit, il rêva qu'il était jeté dans un trou sans fin. Tout au long de la descente, des loups affamés arrachaient des morceaux de son corps qu'il ne sentait plus. Aveuglé par l'obscurité, il entendait quelqu'un, quelqu'un qui le poursuivait à la vitesse d'une balle se dirigeant vers sa cible. Il l'attrapa et l'attacha à un arbre sans cœur. Mustapha attendit des nuits. Maintenant, allongé sur une roue qui tournait à l'horizontale, un homme le fouettait sous le soleil. La foule aux yeux absents regardait. La roue mobile tournait de plus en plus vite. L'homme au fouet et au visage masqué suait. Puis il vit un vautour. Du bec sortant grossièrement de sa tête dénudée, il attaqua le dompteur des hommes qui, pris de panique, se jeta dans la foule, autrefois passive. Le vacarme de l'écroulement du mur, devant lequel des âmes innocentes tombèrent sous l'impact des balles, étouffa, dans cette ville obscure, les grincements de la roue qui, enfin, tournait sans personne dessus. Mustapha se sentit libéré et vit son rocher qui lui souriait. Ce jour-là, l'eau fut froide, mais calme, et sur la plage Fatima marchait seule.

Les Flandres

L'hiver venait d'abattre son froid sur cette région du nord de la France. Le soleil, absent, ne laissait qu'une lumière blafarde éclairer mollement la cité, presque en hibernation. Une brume épaisse couvrait les tours imbibées des grands immeubles gris. Les chiens aux balcons n'aboyaient pas. Sur les arbres nus, tout au long de la cour déserte et couverte de feuilles mortes, les oiseaux, immobiles, grelottaient.

Dans le F1 au septième étage, n'ayant pas mis le nez dehors depuis trois jours, Mustapha s'ennuyait à mourir. Un matin, pour changer, il prit son vélo, modèle 1932, et pédala. En ville, un vent glacé venait de partout et les gens recroquevillés se dépêchaient de rentrer. Sur la place Jean Moulin, la statue de Jean d'Arc, frigorifiée, faisait front au ciel noir qui, lentement, dominait le jour. Après avoir traversé une partie de la ville, Mustapha se trouva en pleine campagne. Il pédala le long des routes étroites où les quelques feuilles d'arbres à moitié dépouillés par l'automne étaient, sur des branches immobiles, gelées, immaculées. Mustapha avait un peu froid, mais il se sentait haut comme les arbres au printemps.

Sur la route déserte, au-dessus des champs, par les cheminées de grandes maisons longues et basses, s'élevaient des fumées qui se dissipaient dans un ciel bas et sombre. Tout était calme. Mustapha se voulait solitaire, loin de la ville. Il cherchait à vivre des moments simples, authentiques, que la mémoire engouffre à jamais. Il n'avait peur ni de l'hiver ni du ciel assombri. Il les trouvait attirants et à la limite mystiques. Il réalisa qu'au Nord, il pensait plus souvent à Dieu qu'au Sud. Il ne priait plus, mais il lui arrivait de constater qu'il contemplait souvent le ciel, l'arbre, l'oiseau, l'enfant et les rides des vieux.

Le chemin devenait serpenté. Sur les côtés de certaines maisons, des pancartes de publicité pendaient. Mustapha s'arrêta pour apprécier la beauté de la femme qui dominait l'une des affiches. Elle se tenait debout sur le pied droit, sur un banc, le pied gauche un peu fléchi. Déchaussée, elle portait une jupe longue légèrement soulevée par le vent et une chemise blanche décolletée. Ses souliers se trouvaient dans un filet à provision accroché au guidon de son vélo. Ses deux mains retenaient ses cheveux par derrière, une mèche s'en échappait pour descendre le long de son cou nu. Mustapha se transporta dans l'image, s'assit à côté d'elle, la regarda de profil. Elle respirait. Il l'entendit. De près, elle était plus belle. Il imagina sous sa jupe, ses jambes fines supportant un corps parfaitement proportionné. Il voulait se mettre debout et l'aborder, mais il eut peur de la perdre. Immobile, il continua à la regarder avec admiration, son cœur battait fort. Doucement, comme on marche devant un oiseau pour le voir de plus près, il s'approcha d'elle en passant du côté où le vélo était debout et il vola plusieurs regards en avançant. De ses yeux frais, regardant ailleurs, coulait une beauté de racines métisses. Eclairée d'une lumière dorée, elle souriait. Il fit encore un pas de plus pour la voir de face, elle continuait à sourire, ses grands yeux verts exprimaient de la joie qui remplissait ses joues et dilatait ses lèvres d'un rose naturel. Quand il réalisa, non sans regrets, qu'il s'agissait d'une affiche, il pédala de plus belle.

Tout ce qu'il traversait disparaissait vite dans la brume de plus en plus dense tandis que, devant lui, scintillaient les ocres des trois monts. Ils lui inspirèrent confiance et ses cris de joie remplirent l'espace en déchirant le calme régnant sur cette campagne des Flandres. Il lâcha le guidon et tapa des mains en sursautant au rythme des grincements du ressort de la selle. Sur l'une des rares descentes de la région, le vélo prit de la vitesse. Surpris par un virage,

Mustapha mit ses mains sur les poignées et, de toutes ses forces, serra les leviers des freins. La roue directrice s'immobilisa. La roue motrice décolla du sol. Mustapha fit une pirouette. Il se trouva allongé dans les champs. Plus tard, confus et assommé, il se leva et poussa longtemps son vélo dans les prés, comme s'il cherchait quelqu'un. Dans cette nature presque morte, il trouva un bistrot ressemblant à une cathédrale tellement il était grand. Il poussa la porte et avança lentement.

Il y avait du monde pour un vendredi après-midi. Mustapha s'approcha du comptoir, s'assit au bout et demanda un café. Tout d'un coup, il fut surpris de constater que le visage de la femme qui occupait l'affiche publicitaire se reflétait sur le miroir derrière le bar. "Est-ce possible? se dit-il, je ne rêve pas, c'est bien elle!"

"Je m'appelle Mustapha, lui lança-t-il.

—Bienvenu, je m'appelle Angéla. Que t'est-il arrivé? poursuivit la dame au visage d'ange.

—J'ai chuté de mon vélo qui est hors d'état de marche. Le câble du frein a cassé. Les lanternes et la fourche sont tordues. Mais moi, je n'ai rien eu!

—Dieu merci! et d'où viens-tu? demanda-t-elle.

—Je viens de Lille.

—Mais, Lille est à des kilomètres d'ici. Je t'y ramènerai si tu le souhaites.

—Merci mille fois.

—Bois ton café, et surtout ne te presse pas. Dans ce village sans saisons, l'heure est immobile et personne ne veut gagner de temps."

Mustapha venait de réaliser que le bistrot était particulier. Un hélicon, au-dessus d'un tabouret, était suspendu au plafond. Au milieu de la fenêtre, la flèche d'un arc fortement étiré visait une horloge sans aiguilles. Des encriers étaient soigneusement posés sur une grande table. Quelqu'un, jadis, avait écrit sur un mur "Le temps t'a gagné. Où es-tu? Je ne te vois plus".

Certains clients se tenaient assis. D'autres, debout, tambourinaient. Les trompettes firent un peu tardivement leur entrée. Tout le monde se mit à danser. Le cœur du chaton, qui continuait à ronronner, battait de joie. Devant sa tasse de café maintenant vide, Mustapha tapait des mains pendant que le barman aux gros bras tatoués lui remplissait délicatement sa chope. Le barman lui révéla qu'il était sujet au mal de mer et qu'il prenait sa retraite dans ce village, content du peu qu'il avait et de sa vie qui se déroulait sans tempête.

Mustapha tenait Angéla dans ses bras en dansant une valse. Le lendemain, dans la maison d'Angéla encore endormie, Mustapha pensa à l'histoire de sa vie qu'elle avait eu le temps de lui raconter durant la nuit. Il ne savait pas s'il s'agissait d'un rêve ou de la réalité. Il sentit que l'énergie dont disposait cette femme lui rappelait, tout comme son rocher, ce qu'il était et d'où il venait. Il réalisa qu'ils étaient pour lui une sorte de phare qui lui éviterait d'échouer sur les rivages des jours sombres et des nuits sans étoiles.

Angéla bougea et Mustapha repensa à son courage et à sa volonté de vivre sa vie. Elle travaillait sans jamais désespérer, créant jour et nuit dans un tunnel sombre dont elle ignorait le bout. En se regardant dans un miroir, elle voyait, dans les yeux verts de l'enfant qu'elle était, le fardeau se fondre et ses épaules se détendre.

Elle était née sans père, une nuit de printemps où les portes du ciel étoilé étaient grandes ouvertes. Enfant, quand elle sortait dans son jardin pour regarder les beaux arbres verts, pour sentir l'odeur du parfum dégagé par les fleurs avant de se faner, elle entendait aussi le chant des oiseaux et le bruit de l'eau pure de la rivière qui irriguait la plaine en lui donnant la vie. Elle y était plus heureuse au moment où la maladie permettait à sa mère de quitter momentanément le lit pour marcher jusqu'à l'arbre sacré. Puis, un jour gris, sans horizon, il commença à pleuvoir. Quand le ciel s'ouvrit et le soleil revint, elle sortit au jardin sans sa mère, la bien-aimée, pour regarder les couleurs resplendissantes de l'arc qui, comme un pont, joignait la terre à l'au-delà.

Plus tard, sa personnalité rebelle et son caractère militant ne la laissèrent pas passer inaperçue à l'usine où elle travaillait comme ouvrière non qualifiée parce qu'elle avait raté le bac.

Ses journées routinières et bruyantes rendaient plus précieuses ses soirées qu'elle passait en voyage dans l'atelier de sept mètres carrés où elle travaillait sur ce qu'elle photographiait, donnant aux rues de la ville et au macadam un air de tropique, et aux passagers pressés, attristés par le temps, une allure naïve et exotique. Elle captait d'un regard l'expression simple, la mariait à un objet de couleur et, la lumière, dans l'œuvre, éternisait l'union à jamais. Il y a un an, ses œuvres ne valaient rien. Aujourd'hui, elles se vendent bien.

Après la première nuit

La lumière du jour n'était plus la même. Le vent avait changé de direction. Il soufflait du Nord. Les champs de Flandres attendaient qu'on les sème. Mustapha, enfant du soleil, avait découvert l'amour. Son corps était frais. Il voyait les choses autrement. Il prit du plaisir à respirer l'air pur qui l'irriguait comme la liberté tenant en vie l'enfant exilé d'une terre qu'il possédait.

Mustapha admira cette nature et les images de cette belle campagne. Angéla faisait attention à la route. Chaque virage levait doucement le voile sur une nouvelle image. Elle était belle et dévoilée. La lumière, qui l'avait transpercée, reflétait sur son visage si doux un air de bonheur qu'elle montrait volontiers. Mustapha était ravi. Il voulait que ça dure. L'horizon le remplissait de paix et ses yeux de verdure. Il n'avait plus de rides sur le front. Il ne portait plus le poids de son rocher. Il souriait. Il s'ouvrait à la lumière du jour qui brillait de toutes ses forces, faisant ressortir le charme de la campagne.

Mustapha pensait que cette extraordinaire créature avait semé la graine d'amour et de vie en son être profond. Il ne voyait qu'elle et qu'à travers elle.

Après un moment de silence, il murmura en la regardant :

"Moi, j'ai perdu mon rocher, mais ce que j'ai à te dire peut guérir mes blessures. Tu possèdes le remède à mes plaies. Ecoute ces mots qui vibrent en moi. Depuis notre rencontre, ton parfum est dans l'air que je respire. Ton ombre ne me quitte plus d'un pas. Mon cœur ne bat que pour toi. Je te sens en moi. Tu n'es plus un visage dans la foule. Je te regarde. Habillés de l'ombre fraîche, je nous vois marcher parmi des arbres vieux de cent ans. Des rayons de soleil nous réchauffent. Et quand nous courons sur une pente, les oiseaux, en entendant nos pas, quittent leur buisson et remplissent ce calme absolu de chants qui s'harmonisent. Au bout, dans un étang, parmi des fleurs aquatiques, se baignent en amoureux des canards et des oies. Dans ce paradis que je ne veux plus quitter, je t'entends respirer l'air frais. Je nous vois heureux, encouragés par le printemps.

— Mustapha, dit-elle, avant de te rencontrer, je me morfondais. Je travaillais, il est vrai, mais j'allais perdre mon éternité. Ma rivière allait sécher. L'olivier s'approchait de la mort à la manière d'un vieillard tout nu, attendant sa fin sur le sable mouillé d'une plage, prise entre deux collines que la marée haute de la mer n'hésite pas à couvrir. Tu m'as rendu l'amour. Et dans le miroir, j'ai retrouvé la fleur que j'étais avant que le temps ne soit venu m'arracher de mon enfance pure et innocente. Tu as soulevé en moi la carapace qui asphyxiait mes désirs et tu l'as, en dehors de moi, fait brûler. Je me sens légère. Je veux te revoir du lever du jour au coucher du soleil. Je veux te revoir à chaque saison, pendant des siècles. Je veux que cet amour soit arrosé par une amitié sincère et profonde."

Le véhicule était arrêté dans l'une des ruelles de Lille. Mustapha dit : "Je serai devant la porte demain avant l'aube et, ensemble, nous assisterons au lever du jour."

Il l'embrassa tendrement et partit.

Ensemble à Lille

Après deux ans de relations à distance, Mustapha et Angéla vécurent ensemble dans un appartement, en plein centre de la ville de Lille, Rue de Molinel. Elle exerçait son métier d'artiste, et lui allait aux cours de Philosophie. Quand le temps le permettait, à deux, bras dessus, bras dessous, ils allaient au cinéma, aux bistrots du vieux Lille ou au marché de Wazemmes.

Chez eux, sur un mur, tout près d'une photo de Mustapha, l'image d'une vague couvrait à moitié un rocher d'où la précédente vague se retirait tout doucement. Il s'agissait du rocher que Mustapha avait photographié pendant son voyage en Grèce parce qu'il ressemblait à celui qu'il avait laissé sur la petite plage de son quartier et dont il n'arrivait toujours pas à se détacher. Il se disait souvent que c'était son histoire et qu'il la résoudrait un jour. Pour l'instant, sa vie avait un nouveau sens. Amoureux, il pensait un peu moins à son rocher. Il lui arrivait cependant d'en parler. Ce n'était pas de la nostalgie, mais une sorte d'introspection pour comprendre la vie. Un soir, Mustapha dit en s'adressant à Angéla :

"C'est drôle, je crois que notre union fait partie de ma destinée, un mois avant notre rencontre, j'étais en Grèce, et un jour, je sentis une forte envie qui m'amena à précipiter mon retour à la ville qui ne m'avait encore rien offert. Il faut dire que l'histoire de l'Indien que j'avais rencontré y était pour quelque chose.

—Où l'as-tu rencontré? demanda Angéla.

—Dans l'autocar. Il était maigre et grand avec des cheveux courts. Ses yeux semblaient jetés sur la page d'un livre. Il portait autour du cou un foulard brodé avec des motifs d'Afrique du Nord. Je m'assis et me présentai. L'Indien fit de même, ensuite, je lui versai une tasse de café et en buvant quelques gorgées, il dit :

"Es-tu Marocain?

—Oui, répondis-je. Et toi?

—Moi, je suis Indien américain.

—J'ai beaucoup entendu parler de vous.

—Je sais, Hollywood a énormément produit de films sur nous, mais laisse-moi te présenter ma version des faits. Mes ancêtres maniaient le cheval avec grand art et vivaient de gibier, de poisson, de maïs et d'amour. Ils se déplaçaient avec les saisons, de pâturage en pâturage, sur des terres sans frontière. Un jour d'automne, ils ont eu le malheur de s'approcher des blancs qui, sur leurs chevaux, portaient des béquilles qui crachaient du feu. Les Indiens restaient cloués au sol et de leur corps percé coulait du sang que les courants du fleuve drainaient dans l'océan. Et là, les requins blancs se mettaient en rage et partaient à la chasse. Bien souvent, le peu d'hommes noirs qui s'évadaient des trois mâts chargés d'esclaves venus d'Afrique finissaient la traversée entre les dents de ces fauves de la mer qui étaient en colère.

—Le génocide du peuple indien est donc bien vrai! dis-je.

—Dans les terres conquises, les aigles féroces se partageaient la chair indienne et l'homme blanc la replantait en plein désert, loin des regards, loin des sons de cloches de tous les dimanches qui rappellent que nous sommes frères et sœurs.

—Tu parles des réserves des Indiens, n'est-ce pas? Je ne pensais pas qu'elles existaient, tout comme ces immeubles grands et blancs où, en France, mes semblables louent des sortes de cages.

—Dans ces réserves, continua l'Indien, mon arrière grand-père ne supportait plus la vie. Il est allé vivre dans la ville la plus proche. L'homme blanc le méprisait et le rejetait. C'est ce que tu rencontres, parfois, là où tu es. Tu dois savoir de quoi je parle !

—Oui, pour te dire vrai, je suis déçu.

—Il faut tenir, s'accrocher, lutter et ne jamais se résigner. Mon arrière grand-père, lui, a persisté, et son fils a appris à écrire et à lire la langue des blancs. Un jour, dans une ville sur l'océan où je faisais des études de langue, j'ai rencontré un grand voyageur qui m'a parlé de la vie. Après, j'ai eu envie de quitter les Etats-Unis. Un marchand français, qui parcourait le monde à bord d'un bateau enregistré à Athènes, m'a embauché. Dans cette capitale, je me suis senti bien. Quand le bateau est parti, moi, j'y suis resté, non sans peine, car mon pays me manquait. Mais, il fallait que j'assume ma décision de refaire ma vie dans un ailleurs où je ne connaissais personne. Tout doucement, j'ai commencé à voir plus clair, à rencontrer des gens, à agir. J'étais pourtant différent, et cela m'a aidé à vivre ma séparation des odeurs de la terre qui m'a vu grandir.

—Tu sais, dis-je, je pensais que j'allais apprendre beaucoup sur la vie à l'université. J'ai découvert que je m'étais trompé. En ta compagnie, je réalise que ce dont j'ai besoin s'enseigne en dehors des classes, j'ai envie de suivre tes pas et de partir en Grèce comme tu l'as fait.

—OK, répondit-il, mais ne fais pas ce que j'ai fait sur le bateau. Je veux bien t'influencer, mais dans certaines limites. Sur le bateau en direction de Hania, des haut-parleurs diffusaient de la musique classique, ponctuée de messages en grec, en anglais et en français. Quand j'ai entendu que les magasins hors taxes ont été ouverts, je suis allé vers le plus proche et j'ai acheté une bouteille d'alcool fort que j'ai payé en dollars.

—Tu voulais boire? demandai-je.

—Cela faisait longtemps, très longtemps, que je ne m'étais pas saoulé. Mais cette nuit, j'en avais envie. Je me suis approché du pont, la bouteille à la main, et je me suis mis à boire comme au bon vieux temps. Le vent jouait avec ma chevelure, autrefois très longue. Une espèce de rosée se soulevait des vagues et venait se poser sur mon visage réchauffé par l'alcool. Je me suis senti bien, très bien même. Et de fait, j'ai parlé. Au début, c'était tout bas et peu après la parole pouvait s'entendre. Je disais:

"Moi, l'indigène, je parcourais les prés sur un cheval sans selle, les pieds en liberté. Je poussais avec les racines de l'arbre qui gardait le fleuve. Je serrais fort son tronc et je me levais au ciel avec ses branches chargées de feuilles. Au-dessus de moi volait l'oiseau que j'étais. Il nous arrivait souvent de subodorer la lune, et le soleil berçait nos enfants qui naissaient sous des étoffes tendues pour être à l'abri des injures du temps. Nous vivions sans cartel ni pendule à graine. Chez nous, le temps était immobile. Nous n'étions ni pressés ni en retard. Nous nous déplacions avec le vent, vers des lieux que seules les saisons changeaient. Les rites étaient à l'heure et l'heure était rituelle. Dans la paume de nos mains, nous buvions l'eau de la source. Nous fumions l'herbe de la plaine et nos cœurs palpitaient. Etendus en plein espace, nous restions suspendus face à la lune dont la lumière traversait nos corps couverts de tissu blanc, légèrement mouillé. Et un jour, j'ai vu les vagues, l'une après l'autre, elles venaient s'écraser contre les grands rochers du rivage et, en se retirant, elles emportaient avec elles des bouts de vie de mon petit rocher que je montais avant d'avoir mon premier cheval."

"Le bateau a quitté Athènes à huit heures du soir pour entrer au port de Souba le lendemain, à six heures du matin. De là, tous les voyageurs ont pris un bus pour Hania. Dans cette ville, quelques jours après, ma vie a été définitivement transformée. Un soir, après le dîner, j'ai salué tout le monde et je suis parti marcher un peu dans la ville. Comme attiré par un aimant, je me suis laissé aller tout en restant attentif et vigilant à ce que le destin allait me réserver comme surprise. Un instant plus tard, j'ai vu une femme, grande et mince, avancer dans ma direction sur le trottoir éclairé d'en face.

—Une femme comme Dieu n'en fait plus! m'excla-
mai-je.

—Exactement, dit l'Indien. Je ne l'ai pas quittée des
yeux et elle de même. Mais ni elle ni moi n'avons eu le
courage de nous arrêter pour dire un mot. Au tournant,
d'un regard volé, je l'ai vu de dos marcher à pas sûrs. La
brise soulevait ses cheveux longs et bruns et, autour de
son cou très fin, brillaient les pierres d'un collier à la rencontre de la lumière de la lune. Peu après, elle a disparu
au bout de la rue, sous un arc elliptique qui donnait sur
le port.

—Ainsi, tu l'as perdue de vue? demandai-je.

—Oui, répondit l'Indien. Chez moi, une sorte de
sensation étrange était née. J'ai senti mon cœur battre
fort et mon pouls devenir rapide. J'ai continué à marcher. Me sentant faible et vidé, comme si mes pieds allaient me lâcher, je voulais absolument m'asseoir. J'ai
trouvé un banc où, face à la mer, je me suis assis des
heures sous le ciel étoilé. J'avais du mal à retrouver mon
esprit qui m'avait quitté à l'instant même où mon regard
avait croisé celui de la femme aux cheveux bruns et
longs.

"Tard dans la soirée, après avoir pris une bière au
comptoir du restaurant où j'avais mangé, je suis retourné
dans ma chambre pour mettre une veste en velours car

dehors, il faisait frais, et je suis ressorti avec l'espoir de retrouver la femme. Je l'ai cherchée au port en regardant dans les bars. J'ai marché à nouveau dans les rues avec l'espoir de la voir derrière les carreaux d'une fenêtre. Je suis passé sous l'arc qu'elle avait emprunté et qui donnait sur le port où certains voiliers étaient amarrés. Le long du quai, pendant des heures, j'ai suivi d'un regard désespéré mon ombre avançant mollement devant moi.

"Il se faisait très tard, déçu et mécontent, je me suis installé face à la mer, contre un oranger dont les branches étaient pliées sous le poids des feuilles et des oranges. Un instant après, une femme est sortie de la cabine d'un voilier et s'est assise sur le pont. C'était elle. Je me suis mis debout et, m'approchant du bateau, je l'ai saluée d'une voix tremblante. J'avais peur, et au moment où je pensais aux conséquences de la perdre, ne serait-ce qu'au niveau de mes rêves, la femme m'a invité à monter à bord. Je n'en suis descendu que le lendemain pour récupérer ma valise à l'hôtel. Après quelques jours à Hania, nous avons mis le cap vers Amsterdam où je me suis marié.

—Mais pourquoi es-tu seul dans ce bus? demandai-je.

—Je suis en route vers Athènes pour transférer mes biens à Amsterdam où ma femme enceinte m'attend. Nous avons décidé de vivre en Hollande tout au moins jusqu'à la naissance des jumeaux au début du printemps. Après, nous reprendrons peut-être la mer."

"Voilà, Angèle, comment j'ai rencontré l'Indien. A mon arrivée en Crète, la ville dormait encore. Rien ne bougeait à l'exception de quelques vagues qui, tout au long de l'ancienne cité, venaient en douceur s'étendre sur des rochers appartenant au passé. Dans ma chambre peinte en blanc, à travers les trois fenêtres géantes, je regardais les toits en tuiles de la ville se réveiller au rythme de l'hiver. Des pêcheurs descendaient des bus. Sans se presser, ils entraient dans des cafés pour discuter du temps. Quelques chiens remontaient du port en toute indifférence, des chats guettaient, attentifs aux filets que des gamins étendaient sur les quais. A l'intersection, des femmes, avec des cageots, attendaient que le feu passe au rouge pour traverser en direction du marché. Au carrefour, un peu plus loin, un policier réglait mollement la circulation inanimée. Je trouvai une petite terrasse illuminée de réverbères dont la lumière se reflétait sur l'eau immobile de la mer. Il faisait doux et la nuit enveloppait déjà la ville. Le garçon, très occupé, mit du temps avant de venir prendre la commande qu'il servit vite. Pendant des soirées entières, je marchais en suivant mon ombre, dans la rue qui se terminait par cet arc elliptique qui donnait sur le port. Un soir, au fond de moi-même, une voix me dit qu'il fallait retourner à Lille. Le jour où je t'ai rencontrée, j'ai réalisé que cette voix était la tienne. Aujourd'hui, j'en suis persuadé."

A minuit, Angéla et Mustapha burent du thé. Sur le guéridon, la lumière de la lampe, peinte en bleu ciel, gardait la chambre sombre et chaude. Dehors, il commençait à neiger. Le couple descendit dans la rue et marcha dans la direction du vent, laissant derrière lui de larges traces.

Le Portugal

Mustapha et Angéla étaient assis dans le train, l'attente de la correspondance pour Paris semblait une éternité. L'immensité de la gare n'étouffait ni le bruit des voyageurs, à la recherche du soleil, ni les visages crispés aux yeux tristes de ceux qui se hâtaient pour rentrer chez eux. Le train entra enfin à Lisbonne. Dans le hall, un bonhomme tendit à Angéla et Mustapha la carte de la pension Océan où ils allaient résider.

Le soir, sous une pluie fine, ils visitèrent le Bareillo Alto où les murs des ruelles servaient d'appui à plusieurs ivrognes qui ne disaient pas un mot. Soudain, au milieu de cet inhabituel silence, une voix lança :

"Si tu me demandes ce que je bois, je répondrai du pur alcool. Si tu t'intéresses à ce que je respire, je te montrerai du cirage. Si tu veux savoir si je rêve, je te dirai que j'hallucine. S'ils te demandent de mes nouvelles, dis-leur que je ne suis plus, que je meurs sur ma terre devenue stérile."

Ces mots trouvaient leurs échos tout au long des murs. Il cessa de pleuvoir et, dans le ciel, certaines étoiles étaient nées.

Le lendemain, le soleil souriait à la ville sur un fond bleu, et Mustapha et Angéla marchaient dans l'Alfama. Cette ancienne Lisbonne rappelait le temps du puissant empire colonial. Les créneaux des murailles soutenaient encore des canons. Ce passé revivait à chaque fois que les remparts faisaient retentir l'écho des sabots des chevaux.

A présent, la nuit douce enveloppait la ville, Mustapha et Angéla entrèrent dans un restaurant. Ils s'installèrent à une table pour trois personnes, à côté d'une fenêtre qui laissait entrer un peu d'air.

Sur l'estrade, près du bar, où un groupe de jeunes et de vieux jouait de la musique, une pianiste allait chercher ses notes au Brésil. Le bassiste et le percussionniste viraient vers l'Afrique. De la mandoline se dégageaient des rythmes orientaux. Au violon, une métisse improvisait, guidée par son subconscient. Mustapha et Angéla pensaient que le monde était réuni, là, juste devant eux, autour de la musique qui est bel et bien le langage universel, ne connaissant ni race, ni couleur, ni genre. Pour un instant, ils rêvèrent d'une terre sans frontière où régneraient, entre les peuples, l'amitié et la paix.

Alors qu'ils allaient déboucher la deuxième bouteille de vin, un cinquantenaire leur demanda en français s'il pouvait se mettre à leur table. "Avec plaisir", répondirent-ils en même temps.

"Je m'appelle Manuel et je suis Portugais.

—Je m'appelle Mustapha, je suis Marocain et je vous présente ma compagne : Angéla. Elle est Portugaise tout comme toi.

—Voulez-vous un verre de vin?" demanda Angéla.

Manuel réfléchissait, puis il se décida en souriant et répondit : "Oui, avec plaisir."

La musique remplissait l'espace. La porte s'ouvrait régulièrement, permettant au monde d'entrer. On ne servait qu'à boire. Déjà un peu ivre, Manuel dit :

"Le Portugal était un grand empire dans le passé. Ses marins aventuriers suivaient la lumière agitée à travers les océans obscurs. Attirés par les musiques des terres possédées d'où ils ont extrait beaucoup d'or. Mais, les malheurs ont commencé lorsque ces mêmes marins ont vendu et acheté des individus de couleur noire. Désertée des saints tambours, l'âme du Portugal est montée au ciel, laissant sur terre des généraux très durs qui arrachaient les hommes de leur pierre pour les enterrer vivants et coupaient les langues de ceux qui osaient parler. Puis, le jour du jugement est arrivé et depuis, dans une instabilité, devenue routinière et insupportable, l'âme du pays essaie de retrouver son corps contrôlé par des délégués qui marchent vers les hauts sommets où tout s'achète et se vend, même une nation. N'allez pas raconter cela et n'allez pas en Algave. Il n'y a plus rien à voir."

Mustapha et sa compagne n'avaient nullement envie d'aller en Algave. Ils étaient venus au Portugal pour rendre visite à la grand-mère d'Angéla et pour découvrir les villages de pêcheurs. Ils avaient trouvé Sésimbra, que des collines, en formant des rivages, berçaient, serraient fort et protégeaient des mauvaises humeurs de l'Atlantique

A la tombée de la nuit, quand les lumières des lampadaires formèrent des ronds le long de la baie sur l'eau immobile, les terrasses des cafés et des petits restaurants se remplissaient de Portugais venus déguster du porto, ou manger du poisson frais. Ce soir-là, devant un plat de sardines servies avec de la salade verte, des tomates et des olives noires, Mustapha eut l'impression d'être chez lui.

Les nuits sombres s'épaississaient vite, Mustapha et Angéla, couchés par terre pour absorber toute la fraîcheur de la rosée qui couvrait les prés, regardaient le ciel étoilé du balcon de leur chambre. Pendant les moments de paix presque absolue, ils s'entendirent respirer au rythme des vagues qui roulaient mollement sur l'étendue fine du sable blanc.

Le matin, ils se levaient tôt pour prendre, avec la famille, le petit déjeuner. Après, ils allaient entre des buissons, par un petit chemin où des ronces nues les obligeaient à ralentir le pas. Au débouché d'un bois, s'étendait une colline, et là, il y avait l'arbre sous lequel, assis, ils regardaient les vagues amener le jour. Les couleurs vives des barques, au bord de la plage, donnaient au sable un air de tropique. Quelquefois, des hommes surgissaient entre les dunes, puis disparaissaient, suivis de leurs mulets chargés de sable qu'ils tiraient par la bride en direction de la ville.

Puis ils descendaient au village pour flâner entre ses ruelles anciennes, ouvertes sur l'avenir. Ils adoraient parler aux artisans penchés sur leurs objets dans les ateliers de deux mètres carrés. Souvent, ils prenaient un pot dans un café tenu par un Brésilien qui, de ses lèvres épaisses, semblait encore bouder l'impérialisme portugais.

Vers midi, ils faisaient le marché et, régulièrement, achetaient des fleurs pour leur famille d'accueil. La grand-mère, sans cesser de les regarder, se dépêchait de les mettre dans un vase en faïence qu'on lui avait offert le jour de son mariage.

A deux heures, ils retrouvaient leur vieil ami restaurateur pour manger du poisson et de la salade. Là, ils occupaient une table, autrefois bleue, couverte d'une nappe toujours blanche sur laquelle deux couverts, une carafe d'eau et un pichet de vin rouge du pays étaient toujours installés. Pour Angéla et Mustapha, c'était le moment le plus agréable de la journée. Après le repas, ils sortaient sur la terrasse réchauffée par le soleil du midi pour boire une tasse de café en compagnie du restaurateur et d'autres convives qui semblaient être à la retraite.

L'après-midi, soit ils lisaient, soit ils descendaient à la plage pour pousser, avec les autres, vers la mer, ou encore tirer, sur le sable mouillé, les barques des pêcheurs.

Le village d'Angéla

Le soleil frappait le bus, tas de ferraille sans place vacante. Essoufflé, il remontait le chemin menant vers le village d'Angéla qui voulait montrer à Mustapha cet autre aspect du Portugal. De quelques fenêtres ouvertes entrait de l'air qui rafraîchissait les visages en sueur. Le vacarme et l'odeur du diesel provoqua le vomissement des personnes fragiles.

Chaque virage s'enchaînait sur un autre. L'escalade devenait de plus en plus difficile pour le bus qui avançait lentement. Mais il faisait plus frais. Angéla, la main sur son livre, ne lisait plus depuis longtemps. Mustapha, du fond du bus, suivait attentivement les changements du paysage. Entre les sapins et les mélèzes poussaient des fleurs sauvages qui donnaient du rouge et du blanc à la plaine en perte de couleur. De gros nuages se posèrent sur les crêtes des montagnes et, poussés par le vent, ils s'étendaient progressivement sur la plaine.

A midi, le bus s'arrêta. Tous les voyageurs descendirent sauf ceux qui s'étaient endormis. Certains se dégourdissaient les pieds, d'autres se précipitaient aux toilettes. Mustapha et Angéla entrèrent avec le reste du groupe à l'intérieur de l'unique restaurant du coin. La table était mise. Le groupe prit place. En face, deux troncs d'arbre brûlaient au cœur de la cheminée. Sur sa tablette, des fleurs séchaient dans un vase de forme naïve. De la morue était accrochée sur tous les jambages. Les poutres noires de fumée supportaient le plafond fraîchement repeint en blanc. De la véranda, on voyait, au-dessus d'un plateau, une montagne qui dominait la vue lorsque les vents la mettaient à nu.

A quatorze heures trente, le bus fit son entrée au village de Phino de Coja. Angéla trouva facilement la maison. Sa grand-mère était assise sous le porche, dans un fauteuil. Elle tricotait. A ses pieds, un chat ronronnait. Après les accolades, les embrassades et les échanges de nouvelles, ils passèrent au salon pour prendre le café. Angéla et Mustapha étaient assis sur des fauteuils couverts de velours de Gènes. La grand-mère, entourée de boules de laine, tricotait toujours. Quand l'horloge sonna quatre heures, ils sortirent sur la terrasse ensoleillée où de nombreuses plantes, posées les unes à côté des autres, attiraient le regard.

"Ces plantes sont la raison d'être de ma grand-mère, dit Angéla. Elles sont le fruit de ses efforts. Elle leur parle. Elles lui répondent. Elles se partagent tout, y compris les plus intimes secrets. Souvent, je l'ai vue les caresser.

"C'est son jardin, elle en est si fière qu'elle veut l'emporter avec elle après sa mort. Ses enfants, poussés par la misère et attirés par le rêve, l'ont depuis longtemps abandonnée. Dépourvue de leurs lumières, entre ces murs et ces plafonds sans échos, ma grand-mère, comme une fleur dans les ténèbres, se fanait. Il lui faut du temps pour réaliser que je suis venue pour la voir. Les passages en éclair l'importunent. Elle porte le fardeau des larmes d'adieu que le temps a profondément imprimées sur son visage. Par manque de mouvement autour d'elle, sa vue s'est affaiblie. Seules les couleurs de ses plantes l'attirent.

"Pourquoi dans ce monde faut-il arracher les hommes à leur terre et les enfants à leur mère? Pourquoi faut-il partir en laissant derrière des racines fragmentées et sans terre?

"Je sens ma grand-mère en moi. Dans mes moments de solitude, je l'ai vue monter dans un arbre, sauter sur une vague, courir dans le vent et sourire au temps. Je l'ai vue bouger à quatre pattes, se mettre debout et marcher courbée. Je l'ai vue sans sourire et avec des rires en larmes. Voyez-vous, entre elle et moi la fusion a été faite à la naissance. Je savais qu'à son dernier jour, j'allais l'accompagner et que mon sourire lui servirait de lumière.

"D'accord, elle est dans la maison de l'un de ses fils. C'est spacieux, les meubles sont classés. Mais c'est vide. Ce qu'elle veut ce ne sont ni les antiquités, ni les ornements à pointes de diamant, mais la présence de ses enfants et petit-enfants : la vie et non pas des murs muets. J'ai compris cela, il y a bien longtemps. J'ai toujours souffert quand les larmes coulaient de ses yeux au moment des adieux, à la fin de ces déchirants mois d'août. Aujourd'hui, en ta compagnie, je réalise pourquoi je n'osais plus rendre visite à ma grand-mère et si tu me le permets, je vais y rester plus que prévu. Je sais que pour tes études, tu devrais retourner à Lille, crois-moi, je te rejoindrai là-bas dès que je pourrai."

La plaine remémorée

Après avoir passé une semaine avec Angéla et sa grand-mère, Mustapha décida de retourner à Lille, un peu à contrecœur, mais il avait compris qu'il fallait laisser Angéla vivre tranquillement son souhait le plus profond.

Dans l'appartement, il faisait sombre et froid. Du gel, sur le carreau des fenêtres, empêchait la lumière des réverbères d'entrer dans le séjour. Les plantes étaient bien vivantes. A côté d'une rose mise au milieu du courrier, il put lire sur la moitié d'une feuille blanche:

"Merci de m'avoir laissé la clef. C'était chouette. J'espère que vous avez eu de très bonnes vacances. Le Père Noël vous a offert un petit tableau d'art de la photo que j'ai accroché sur l'un des murs. Je trouve les traits des personnages naïfs et exotiques. Je sais que vous allez l'aimer. Rachid."

Le tableau était sur le mur en face du lit. La grand-mère occupait l'avant du décor, regardant la plaine qu'une imperceptible brise venue de l'Est remuait doucement. Cette scène lui rappela celle, réelle, où la grand-mère avait demandé à Angéla : "Vois-tu, Angéla, cette riche végétation sur la rive droite du courant d'eau qui traverse la plaine?

—Oui, je vois cette foule de roseaux qui filtre l'eau. Et je sens renaître la plaine. La terre garde ses graines et bientôt poussera l'épi. Je vois plus loin des sapins, accrochés au sol et saluant le vent. L'oiseau libre chante pour les citronniers et les centaurées. Des gouttes de rosée et des chanterelles éclatent de lumière. Mais je ne vois plus de saules sur le bord de l'eau. Que leur est-il arrivé?

—Les bergers et les amoureux de la plaine se sont assis aux pieds des saules. J'ai moi-même trouvé refuge à plusieurs reprises à l'ombre de leurs branches, sous le soleil de midi. Et puis, un jour d'hiver, j'ai entendu le chef des saules dire : "Vous, les roseaux, vous nous faites rire. Avec votre mince corps, vous semblez morts. L'eau vous habite et les créatures vous quittent. Les satyres se sont posés sur vous le jour où le ciel a empêché le vent de souffler. En ces temps, nous avons étouffé. Mais nous avons continué à porter la vie en nous. Regardez tous ces nids d'oiseaux qui nous occupent. Plusieurs personnes viennent nous saluer au milieu du jour. Contre nos troncs, les jeunes, à genoux, s'avouent leur amour. Ils nous disent tout. Ils nous vénèrent et la lune nous éclaire.

—Saules, dirent les roseaux avec tendresse, ne nous parlez pas comme ça. Chez nous, il n'y a de place ni pour les nids d'oiseaux ni pour les amoureux. Personne ne nous vénère et personne ne nous pleure. Nous sommes indifférents à cette indifférence. Mais l'arrogance nous blesse et de la plaie coule, jusqu'aux rives de cette rivière, du sang qui descend où se confond la haine et l'amour. Gardez-vous de l'égoïsme et du non-respect de l'autre. Dans ce monde, il y a toujours un plus fort que soi.

"Regardez vers votre intérieur et cherchez la perfection à jamais. Vous trouverez une âme en manque de baiser, un espace vide qui a besoin d'être arrosé. Ouvrez-vous à la vague large et douce. Laissez-la fluctuer en vous.

"Nous sommes minces. Nous courons dans le vent et nous ne cherchons pas d'abri. Nos feuilles portent la lumière et nourrissent la rivière. L'ombre de notre tige perce l'eau et descend aux racines. Nous portons la mort, mais nous sommes habités par la joie. Elle est dans notre fusion au courant du fleuve qui donne la vie à la plaine. La lune l'éclaire. La foudre la dérange."

"Après cet échange, avait dit la grand-mère, j'ai vu de grosses gouttes d'eau et de grêle tomber d'un ciel chargé et entièrement fermé. Des nuages, épais et noirs, surveillaient attentivement la plaine immobile. L'éclair pénétrait doucement le sol. Le tonnerre reproduisait les cris de joie qu'emportait le ciel. La vie s'est libérée des vents forts qui soufflaient sur la plaine. Les arbres tremblaient. Les oiseaux ne chantaient plus.

L'eau en spirale a quitté le fond et s'y sont reflétées les ombres ridées des saules que les vents emportaient au ciel. Un bruit de craquement a suivi. Les arbres déracinés, les larmes aux yeux, sont tombés, et le courant a entraîné leur corps blessé vers la chute. L'orage s'est calmé. L'oiseau aux couleurs multiples a chanté. La première couche de neige fine et douce a fondu. La rose s'est ouverte et le roseau en deuil n'a plus jamais parlé."

La lettre du Portugal

La lettre parlait des derniers moments qu'Angéla avait vécus en compagnie de sa grand-mère. Elle avait dit sentir, vivre et entendre les galops du cheval blanc, la lumière des étoiles, le réveil matinal, le soleil levant, le chant d'oiseau, le sourire d'un vieillard, la larme d'un enfant, la rosée sur une ride, une fleur offerte, le calme de la plaine, la limpidité de l'eau, l'arbre en vie, la couleur du ciel, le goût de la pomme, la vue du rocher, l'odeur de la terre, la fragilité de la neige, le grain de sable, la force du vent : la vie, le soleil couchant, la mort.

La grand-mère se coucha par terre. Entourée de vieux, de jeunes et de la vie de la plaine, elle regarda son âme monter au ciel. Souriante et rassurée, elle posa sa main gauche sur son cœur qui battait au ralenti. De sa main droite, elle serra les deux mains lisses d'Angéla et lui dit : "Adieu ma rose bien aimée."

Angéla l'embrassa. Son corps, à la vitesse d'un éclair, se libéra de la vie et suivit la voie invisible que l'âme avait empruntée.

Angéla conclut la lettre en annonçant à Mustapha qu'elle n'allait pas tarder à revenir à Lille. Il s'y attendit car il savait qu'au Portugal, il ne lui restait plus personne. Puis, lui était là pour elle. Il l'aimait, d'ailleurs il pensait lui proposer pendant le prochain été un voyage au Maroc pour la présenter aux membres de sa famille et surtout au rocher, en espérant que ce dernier comprendrait. En pensant à sa famille, il éprouvait une petite crainte, il savait que le père le voulait au Maroc, marié et fonctionnaire, mais il savait qu'il pouvait compter sur l'aide de grand-père et sur son pouvoir dissuasif. Tout le monde comprendrait, même s'il s'agissait d'une chrétienne. Du côté de la mère, il était sûr qu'elle le voulait tout simplement heureux, ici ou ailleurs, cela n'avait pour elle que très peu d'importance, à condition de garder le contact. Elle lui disait souvent qu'elle ne lui pardonnerait jamais s'il ne venait pas lui rendre visite quand il le pouvait. Elle maudissait ceux qui étaient partis sans jamais revenir. Elle les considérait comme des ingrats vis-à-vis de celles qui les avaient portés pendant des mois, voire des années, et pour ceux qui avaient durement travaillé pour répondre aux lourdes exigences nécessaires au bien-être d'une famille. Mustapha se sentit mal à l'aise parce qu'il n'était pas parti rendre visite à sa famille depuis son arrivée à Lille. Il voulait le faire quand il aurait obtenu son diplôme. Après tout, c'était pour les études qu'il était parti. Il ne se voyait pas répondre : "Non, j'ai échoué", à tous ceux qui lui auraient demandé s'il avait réussi. Mais cette année s'annonçait bien. Il savait qu'il allait réussir et cela le réconfortait.

L'accident

Un jour, alors qu'Angéla était toujours au Portugal, Mustapha décida de se rendre à la gare pour revivre son arrivée à Lille et revoir la peinture représentant la femme qui venait de sortir d'un arc brisé, tenant à la main une branche d'olivier. Mustapha avait l'impression qu'elle et Angéla se ressemblaient. Il prit le métro. Le voyage dura quelques minutes pendant lesquelles il put à peine lire les titres du journal qu'il tenait ouvert entre ses mains.

Dès son arrivée à la gare, une bombe explosa. Une vingtaine de voyageurs furent blessés, dont Mustapha qui, en une fraction de seconde, vit se dérouler devant lui, à la vitesse de la lumière, le fil de sa vie à partir du jour où il allait partir vers la France. Il se vit le dos tourné à son rocher, sur la pointe du bateau, puis dans un train qui le menait dans une ville où il dormit longtemps dans un sac de couchage avant de rencontrer l'Indien, puis il vit sa compagne Angéla qui l'aidait à mieux vivre sa vie loin de ceux qui le virent grandir en l'aimant tant.

A l'hôpital, deux agents commencèrent son interrogatoire. Après avoir contrôlé sa carte d'identité, le chef demanda :

"Qu'est-ce que tu es venu faire à la gare ?"

Mustapha regarda de ses yeux absents les murs de la chambre et dit d'une voix faible en maintenant les paupières ouvertes :

"Me balader.

—Te balader à la gare !

—Je ne sais pas. J'étais pris ce matin par une envie de venir ici pour voir si ce lieu allait me procurer la même sensation qu'il y a trois ans.

—Ce cas est étrange", dit l'agent à son collègue.

Mustapha, un peu fatigué, ne put empêcher ses yeux de se fermer. Loin, très loin de lui, il entendit l'agent répéter : "Qu'est-ce que tu es venu faire à la gare ?"

Après un long silence, Mustapha dit avec tendresse :"Je vous ai déjà tout dit."

Ensuite, sa voix se tarit et une lumière explosa au fond de son corps. Il sourit et son enfance reparut dans ses yeux, maintenant ouverts sur deux anges dont l'un était gai, et l'autre triste. Mustapha, confus, ne sachant plus s'il avait affaire à la volonté de Dieu où à celle de l'Etat, pensa à la bombe, à la mort, à la peur, et le sang lui monta aux joues. Les anges le regardaient avec amitié. Ils s'approchèrent de lui, posèrent leurs mains nues sur sa tête chaude et dirent : "Nous t'écoutons."

Mustapha, ou plutôt son double, escorté des deux anges, se leva, prit la robe de chambre blanche au pied du lit, l'enfila, marcha, pieds nus, sur le sol froid, s'assit sur une chaise, regarda ailleurs pendant un instant, et dit en souriant aux anges :

"Il s'agissait d'un voyage d'introspection pour une mise au point, mais ces deux agents ne comprendront rien à mon histoire. Pourquoi, alors, ne me laissent-ils pas en paix ?"

Mustapha s'évanouit. Les médecins avaient du mal à le réanimer. De très loin, il pouvait entendre celui qui disait :

"Tout doux mon vieux, ne nous quitte pas sans rien nous donner d'important. Fais un effort et réponds à nos questions. Dis-nous où tu habites et où habitent tes parents ?"

"Dis-leur", répétèrent les deux anges en posant leurs mains sur ses épaules comme pour le rassurer. Mustapha revint à la salle de l'hôpital et dit :

"J'habite rue de Molinel à Lille et mes parents à Tanger, ma ville natale.

—Je vais vérifier la crédibilité de ses premières réponses. Toi, en attendant, tu continues l'interrogatoire en prenant des notes, dit le chef à son second.

—Quel est ton nom, ton prénom et ta profession? demanda le second d'un air appliqué.

—Nom, prénom et profession? répéta-t-il.

—Je m'appelle Mustapha Bakali. Je suis étudiant.

—Qu'est-ce que tu fais comme études?

—De la philosophie.

—En quelle année?

—En deuxième année?

—Quel âge as-tu?

—J'ai 21 ans."

L'ange triste tourna sur lui-même, légèrement souriant, s'accroupit, et dit à l'autre :

"Que lui veulent-ils au juste?"

L'autre agent arriva et ne tarda pas à dire :

"Voilà ton calepin?

—Est-ce que c'est fini? demanda Mustapha.

—Non, le jeu vient à peine de commencer. Ils vont te transporter vers un autre lieu, dit l'ange triste. Nous t'accompagnerons car nous sommes de service ces jours-ci. Nous veillerons à ce que tout se passe comme prévu.

—Où voulez-vous m'emmener? demanda Mustapha.

—Nous allons changer d'air et de lieu, dit le chef.

—Raconte-leur ce que tu vas voir!" dit l'ange triste en lui secouant les épaules comme pour le réveiller.

Mustapha eut du mal à parler, il fit un grand effort et dit:

"Escorté, je me vois comme un corps perdu dans l'immensité de la mer. Les vagues me bercent et sur cette eau liée au ciel, je flotte, membres tendus. Au loin, à l'horizon, se dessine une ouverture entre les deux lignes vêtues de bleu.

"Mais les courants me poussent en sens inverse. Je ne peux guère lutter. Je suis au bout de mes forces, incapable d'agir. Les vagues se gonflent et le ciel devient sombre. Me voilà maintenant, sans espoir, dans un trou rempli d'eau fortement remuée. Autour de moi se dressent des murs sans briques que les éclairs déchirent. Mon Dieu est en colère. Il me gronde par le biais du tonnerre et de ses assourdissants vacarmes. Le temps se durcit. Il pleut de la grêle grosse comme une pluie de pierres. Conscient, je le suis d'un corps trempé d'absurdité et bientôt mort. Mon cœur, que je ressens encore, bat très bas. Au-dessous de moi, au fond de cette mer, les algues se remuent en formant un nid où se posera mon corps sans vie. Mais les bordures de la tombe verte ne sont pas peintes de la chaux éteinte. Ce dernier refuge ne peut être pour moi! N'est-ce pas? dit Mustapha en s'adressant aux anges.

—Nous l'ignorons, répondirent-ils, un peu embarrassés. Tu n'as qu'à attendre!

—Moi, continua Mustapha, j'aime le blanc fulgurant sur le chemin de ma mort. En cette journée, je porte du jaune qui tient toujours malgré l'orage. La grêle tourne en pluie fine. La mer se calme et ma peau frissonne. Je vois plus clair, malgré la nuit, et au loin mon rocher me sourit."

Dans la voiture des policiers

Pour la première fois de sa vie, Mustapha se trouvait dans une voiture de flics en civil avec, à côté, un agent qui le regardait fixement. Il ne comprenait pas ce qui lui arrivait. Il savait que la situation était étrange, qu'une bombe avait explosé au moment où il descendait des marches et qu'ensuite il rata la suivante, se roula jusqu'à la chaussée où il s'écrasa contre le mur. Des images défilaient dans sa mémoire à la vitesse où se faufilait la Renault 21 dans les rues de Lille.

La journée n'était ni ensoleillée, ni brumeuse, mais plutôt claire et pluvieuse. Les gens, sans parapluie, prenaient leur temps en marchant sur les trottoirs bitumés. Tout au long des rues parcourues, des oiseaux s'envolèrent en masse pour monter vers le ciel, loin des arbres produits à l'usine pour remplacer ceux, vieux de cent ans, qu'un champignon avait rongé jusqu'à la mort.

L'oiseau s'accrocha à la mémoire immense de Mustapha à la manière d'une proie sur une toile d'araignée. Il voulait le libérer, mais il était lui-même prisonnier. Et là, sous les aboiements de ces monstres enragés aux crocs bien visibles, Mustapha retrouva le rêve. Il ouvrit ses yeux lentement, avança à quatre pattes sur le sable jaune arrosé, s'approcha de son rocher qu'il embrassa et caressa de ses joues. Puis il s'assit dessus en tailleur et aperçut à quelques mètres de là, tout au long de la plage, une vague s'enfler et déferler sur le sable lisse et vierge qui s'étendait entre le rocher et l'eau. La vague, après avoir salué le sable, recula un peu à regret, lentement et sans bruit. Un instant plus tard, une autre vague resurgit pour s'étendre sur le terrain déjà perdu. Au-delà du premier ciel, un oiseau chantait. Dans le lointain, derrière la brume opaque, un éclair sillonna les mers agitées et les sèches prairies d'enfance où poussaient des fleurs sauvages.

Les larmes coulèrent sur la feuille maculée de mots en encre de Chine. Les lettres effacées n'enlevaient rien au texte. La blancheur de la page s'estompait. L'âme pure et innocente devint confuse. L'enfance heureuse recula dans les ténèbres des profondeurs. La cour de l'école était entourée de barres de fer. Les pages électrifiées, suspendues dans l'espace, torturaient l'esprit. L'enfant, devenu adulte, puis vieillard, délirait.

L'interrogatoire

La salle aux murs blancs ressemblait à une chambre d'hôpital. Dans les couloirs sans fenêtres ni cadres il y avait beaucoup de va-et-vient. Des haut-parleurs ronds crachaient des noms de façon ponctuelle. Il ne faisait ni jour ni nuit et Mustapha n'était ni éveillé ni endormi.

"Nom, prénom, date et lieu de naissance, ainsi que la profession? demanda l'agent maintenant masqué.

—Je m'appelle Mustapha Bakali. Je suis né le 5 février 1958, à Tanger. Je suis étudiant.

—Qu'est-ce que tu fais comme études? Et en quelle année es-tu?

—De la philosophie et je suis en deuxième année.

—Connais-tu Jean-Jacques Amar?

—Jean-Jacques Amar... Jean-Jacques Amar. Non, ce nom ne me dit rien."

Il chargea la dernière question dans sa mémoire, entra de nouveau dans son état de semi-coma, comme l'avaient qualifié les médecins, et ferma la porte de son esprit. Les deux anges, en vol, le saluèrent. Il se coucha sur le lit sans coussin, leva ses mains au ciel et demanda de l'aide d'un ton tragique. Dehors, le soleil était bas et dans la chambre sombre, Mustapha entendit l'ange triste dire:

"L'homme pressé, ignorant le but, porte un masque. La ville de macadam bitumé est en fumée. Toutes les fenêtres sont fermées. La station est déserte. Le soleil ne se lève plus. La lune est déréglée. Le ciel est noir. Le vacarme est assourdissant. Il n'y a plus de rivière. L'arbre est mort." Mustapha eut peur et cela l'aida à entendre l'un des agents lui dire:

"Il faut faire un effort pour te souvenir. C'est très important!" répéta trois fois l'agent masqué en ajoutant: "Nous allons te donner son adresse. Il habite au 33, Rue de la Madeleine à Paris.

—Ecoutez, ce nom et cette adresse ne me disent rien, répondit Mustapha.

—Comment se fait-il qu'ils ne te disent rien, alors qu'ils sont dans ton calepin, sous la lettre A? Il ne m'a pas fallu longtemps pour trouver ce que nous cherchions depuis un moment. Et tu as intérêt à collaborer avec nous. Regarde cette photo et dis-nous si tu connais cette personne.

—Ce moustachu, je l'ai vu quelque part. Mais sincèrement, je ne me souviens pas où. Cela m'agace... Tiens! Ça me revient. Je l'ai rencontré dans le train entre Paris et Bordeaux quand je partais au Portugal. Il était plutôt gaillard, mais chouette. Il m'avait dit qu'il allait en Espagne et qu'il n'avait jamais été au Portugal.

—Etait-il seul?

—Oui, il était seul. Mais nous étions cinq dans le compartiment.

—Te rappelles-tu de tous ceux qui étaient avec toi dans le compartiment?

—Oui, il y avait Fatima, Josef, Amal et Jean-Jacques", dit-il.

Mustapha changea le nom de sa compagne pour la protéger de ces fauves capables de tout.

La musicienne et le poète

L'interrogatoire se corsa quand les deux agents de police regardèrent l'horloge qui indiquait que l'aube n'était pas si loin. Le plus gros portait une moustache épaisse et clignotait rapidement des yeux, de fatigue ou de nervosité. L'autre, debout près de la fenêtre mal fermée, et par laquelle entrait un coulis d'air froid, semblait mieux contrôler ses nerfs. Il demanda calmement :

"Où tous ces gens partaient-ils ?"

Mais Mustapha était déjà ailleurs, près des deux anges maintenant familiers.

"Nous t'écoutons, lui dirent-ils. Pour t'éviter de parler fort, nous nous poserons à tes côtés."

Ils le firent mais Mustapha faisait le mort, comme les insectes qu'un danger menace. Ils le touchèrent. Il bougea et dit :

"Josef et Amal partaient au Portugal tout comme moi. D'ailleurs, ils sont Portugais et mariés. L'un est muet, l'autre est sourde. On m'a dit que ce sont les généraux qui ont coupé la langue de Josef.

—Pourquoi?

—Parce qu'il l'utilisait souvent pour crier la vérité. Il était le porte-parole des opprimés. Il trouvait la phrase juste et des mots de nature à éveiller les gens, qui les giflaient, brisaient autour d'eux la carapace masquant la tristesse des bidonvilles où s'entassent ceux que la machine use, déchire en mille morceaux, et jette dans les ténèbres en crachant dessus. Avec son énergie, Josef observait, puis analysait les traits d'un sujet que personne d'autre ne pouvait voir. Ses mots dévoilaient l'insatisfaisant et le rendaient clair et accessible même à ceux qui avaient perdu leurs sens.

"Il marchait souvent droit, poussé par une inspiration et attiré par une vision. Lorsqu'il s'est attaqué à la corruption qui rongeait toutes les institutions, il a révélé ce que le masque cachait. Dans ses propos, l'oppression revenait constamment et teintait de noir et de rouge tous les aspects de la vie sur lesquels se posait son regard. Sous les éclairages de ses phrases, l'auditeur passait de la passivité à la révolte, de l'indifférence à la culpabilité, du fatalisme à la volonté de vaincre le destin. Ces mots s'ancraient en profondeur, tout au fond de ceux qui les comprenaient pourtant à peine. Et, plus tard, les âmes explosaient en traînant avec elles tout ce qui avait été jusqu'alors refoulé. Josef était un guide spirituel et il le restera.

—Et tu disais que ce Josef était avec sa femme sourde. Amal?

—Oui, Amal signifie "espoir" en arabe. C'est une Palestino-portugaise. Elle est née à Gaza qu'elle a quitté à l'âge de dix ans. Elle a perdu l'ouïe le soir où son village natal a été bombardé.

—Encore une rebelle de naissance. Comment se fait-il qu'elle soit au Portugal?

—A l'origine, elle habitait au Mozambique. Ses parents tenaient une épicerie à Biera où il n'y avait pas d'école adaptée à son handicap. Elle passait son temps à aider les clients qui venaient s'approvisionner chez eux. Sa vie restait limitée à l'espace de la rue et son horizon était essentiellement meublé d'un violon dont elle jouait à merveille.

"Par son génie, elle ouvrait une parenthèse dans la monotonie fade de bien des hommes et des femmes qui venaient à l'épicerie pour s'approvisionner et pour rencontrer ses sons en provenance d'un autre monde. Bien souvent, ils levaient les yeux et ils se laissaient emporter loin, au-delà de l'eau turquoise de l'océan Indien, sur des ailes d'une douceur sans fin.

"La musique a mûri et Amal a grandi. Un après-midi d'automne, une mélodie magique a soulevé en Josef, fils

d'enseignants coopérants, une sensibilité qui a soudaine-
ment éclairé sa vision et libéré son inspiration. Il s'est mis à
écrire sur l'Afrique et les Africains en saisissant leur vie
dans ses aspects les plus sombres et les plus joyeux. Le
colon l'a jeté en prison pour tarir sa source qui se nourris-
sait des sons d'Amal. Devant cette symbiose à distance, la
tentative a avorté et Josef a été expulsé du Mozambique.
Avant son départ, il a été autorisé à épouser Amal et à emmener avec lui au Portugal l'énergie de sa vie, la source n'a
plus jamais tari."

L'image continue

Mustapha était maintenant dans la cave, allongé sur un banc. Il grelottait. Avec lui, deux personnes âgées grelottaient aussi en silence. L'un d'eux dormait en ronflant, les yeux grand ouverts fixant le plafond. La nuit était de plus en plus froide. Mustapha ne sentait plus ses pieds. Ses yeux se fermaient de fatigue quand, soudain, la lumière du jour entra doucement par quatre soupiraux qui noyaient la cave d'un froid glacé.

Lorsque les deux agents revinrent, ils envoyèrent un gardien de la paix chercher Mustapha pour continuer l'inquisition. Quand il entra dans la salle, il remarqua la nudité des murs et le désarroi de ses interlocuteurs qui ne comprenaient pas comment leur héros tenait encore le coup! D'une voix encore éteinte, le moins gros des deux demanda:

"Tu as dit qu'il y avait une Fatima?

—Oui, elle partait au Portugal.

—Pourquoi?"

Mustapha, sans se soucier cette fois-ci de son état, secoua la tête et fit quelques pas vers le coin d'où les deux
anges le regardaient, et dit:

"Elle est photographe. Au Portugal, elle allait surtout
photographier des enfants et des vieux. Chez les premiers,
elle voulait prendre des larmes quittant leur source, et
chez les seconds, le sourire contournant leurs lèvres. Elle
voulait mettre en lumière les béquilles des vieux et les
doigts de leurs mains tendues vers les enfants.

—Conte-leur ce que tu vois, demanda l'ange triste à
Mustapha. Vas-y, il faut les secouer, car ces personnes sont
endoctrinées et, sans toi, la situation déjà grave empirera.

—Pourquoi moi, répliqua Mustapha. Je suis confus. Je
ne sais pas ce que je veux, ni ce qu'ils veulent.

—Personne ne le sait avec exactitude, dit l'ange triste.
Tout ce que je te demande c'est de dire ce que tu vois.

—L'homme aliéné et pollué se regarde dans le miroir, dit
Mustapha. Il oublie de réfléchir. L'aigle se pose sur son visage blanc pâle et pompe sa vertu. Déshabillé, il sort, fendoir
à la main, et traverse précipitamment la rue avec une sorte
de cravate autour du cou. Le vent le secoue. Il est trop tard.

"Maintenant, sur le trottoir de gauche, il regarde vio-
lemment le seul arbre de la rue. Les feuilles fanées tom-
bent et disparaissent. Il saute sur une branche, la coupe en

mille morceaux et se met à mâcher les quelques feuilles vertes que l'automne a épargnées. Puis, en masse, il les crache. La pâte verte se déverse de sa bouche et reste collée sur son corps métamorphosé.

"Le voilà qui marche, le distributeur l'interpelle. Il hésite, s'arrête, introduit une balle dans une fonte gloutonne et reçoit une injection de rouge qui dilate ses veines, ouvre ses paupières mi-closes. Ensuite, une main lui tend un pistolet chargé et un message. Il ne le lit pas, il devine.

"Un peu plus loin, un vendeur de journaux lui tend des nouvelles. Il s'assied sur un banc, se détend, caresse le journal et y met le feu. Le soleil se couche déjà. Il marche tout droit jusqu'au coin où finit la rue. Là, il rentre dans une station, la traverse, prend des escaliers, descend deux étages et attend sa cage le long d'un quai glacé. Un vent de fer a soufflé, c'était le numéro 7.

"Il est loin de la gare, assis ou debout entre quatre murs cette fois-ci. Il travaille. Il est dompteur et dompté. Le temps passe. La cloche sonne. Le soleil se lève. Il fume. Non, il ne fume plus. Il écrase sa cigarette dans un cendrier fait d'argile par un vieillard mi-fou mi-sage qui, allergique à la ville et au village, vit en solitaire sur un bout de terre salué par les vagues, son île.

"Ce matin-là, son chien sans race le réveille. Il fait quelques pas sur le petit chemin, monte sur son rocher et plonge dans son eau azurée, calme comme un tapis. Le voilà debout, l'eau jusqu'à la poitrine, contemplant le soleil sortant des profondeurs. Dans la forêt, il ramasse du bois, revient à sa cabane, allume le feu et fait chauffer de l'eau. En attendant, il boit le bol de lait de son unique chèvre dont la clochette ponctue le temps incertain.

"Souvent, il prend sa canne à pêche, quelques vers de terre, son chapeau en paille, un sac avec des épices, deux tomates, trois pommes de terre, du persil, de l'ail, du sel, un peu d'huile d'olive, un morceau de pain, et il part à la pêche. Quelquefois, il va au marché pour s'approvisionner, pour y vendre sa poterie ou pour discuter avec du monde. Les villageois l'appellent Raïs. Et ainsi va la vie libre de ce vieillard."

L'agent qui posait des questions se mit debout, s'approcha d'une cafetière, se versa une tasse de café, vida un petit sachet de saccharine dans son gobelet et s'assit pour avaler une première gorgée. Elle était chaude. Avec la main gauche, il sortit de sa poche un paquet de Gauloises. D'un mouvement précis, il mit une cigarette entre ses lèvres et l'alluma. Après quelques bouffées, il se tourna vers son collègue et lui demanda si l'interrogatoire pouvait continuer. Le collègue, figé devant la machine à écrire, venait à peine de taper la dernière phrase que Mustapha avait lancée.

L'agent, devant ses pages, avait l'air d'être expulsé en dehors de lui-même, perdu dans une forêt, sur une voie unique qui mène à un village abandonné par ses habitants à cause du choléra ou de la rage. Il était secoué. Tous ses plans tombaient par terre et se désintégraient. Dehors, la tempête devenait de plus en plus forte. Les deux fonctionnaires avaient perquisitionné la maison de Jean-Jacques qui était déjà parti en laissant derrière lui quelques munitions semblables à celles de l'attentat de la gare.

Le mariage

Mustapha, dos et bras tendus sur le lit, se sentit
vidé, abîmé. Sa respiration lente ne remplissaient guère
tout son corps. Il pensa qu'il allait mourir. Alors, il fut
pris du désir irréversible de se marier avec la lumière
de ses yeux, qui l'attendait derrière une porte. Il leva la
main, la dirigea d'un geste tâtonnant vers le visage de
sa compagne Angéla. Les deux anges l'aidèrent à at-
teindre ses cheveux, puis la main d'Angela quitta la
poche de sa robe pour prendre celle de Mustapha qui
lui caressait le visage. Sur le chemin, les femmes et les
hommes d'un côté, les enfants de l'autre, leur lancèrent
des fleurs de toutes sortes. Ils avaient l'air joyeux. Ils
s'embrassèrent.

Au bout, sur un plateau qui donnait sur la plaine ensoleillée, des vieux et des jeunes dansaient. Au milieu
d'eux, Amal jouait du violon pieds nus. A ses côtés, Joseph

arrosait la terre des orchidées qui se dépêchèrent de pousser de peur d'être exclues de ces moments de bonheur.

Une enfant coupa délicatement la fleur, l'offrit à Angéla et Mustapha.

L'étranger

La porte s'ouvrit de façon brutale et, avec elle, s'alluma le néon qui occupait le milieu du plafond. Les deux anges se consolaient en se retenant de pleurer. Au bout d'un instant, ils mirent leur tête entre leurs mains et laissèrent rouler des larmes qui, à la rencontre du sol, malgré la chute, restaient entières. Entre eux et lui, s'était glissée la mort. Mais ni eux ni lui n'étaient en mesure de traverser ce rideau opaque. Les anges, souriant, se rapprochèrent du lit, plongèrent leur regard dans les yeux élargis de Mustapha qui sentit pousser en lui une assurance comme une fleur sauvage.

Deux hommes, toujours les mêmes, avancèrent en direction du bureau qui était dans le coin de la salle. L'un s'assit devant la vieille machine à écrire. L'autre resta debout, l'épaule contre le mur, et regarda la rue. La vitre était sale, l'homme sortit son mouchoir de sa poche et cracha sur le carreau, puis se mit à le nettoyer avec force. Enfin la vitre lui renvoya le vide de la cité. Au milieu du carrefour, des chiens enragés se disputaient un os.

La scène durait. Soudain, une silhouette poussant un chariot s'arrêta près d'eux. Alertés par le bruit, les chiens enragés levèrent la tête vers l'intrus. Dans sa main droite, il avait un harpon et sa main gauche portait une torche en feu. L'étranger regarda autour de lui et ne vit personne. A distance, l'agent observait la scène en fumant une cigarette. Il se frotta les yeux, pour ne rien rater, et les mains, comme pour se féliciter. Enfin une affaire de flagrant délit, une possibilité de promotion.

Pendant un instant, Mustapha fut oublié. Il avait sommeil. Il voulait dormir ne serait-ce que pour un moment. Il commença à rêver, et entendit son rocher lui dire :

"Parce que tu m'as laissé seul, je suis rentré dans cet état d'agonie qui ne peut guère durer. J'ai besoin de te sentir tout près de moi et de voir, sur le sable couvert d'écume, les traces de tes pieds qui se traînaient sous ta gandoura d'été. Je me souviens de toi. Enfant, après les baignades à marée basse, tu venais rouler ton corps encore mouillé sur le mien, calciné sous le soleil brûlant du midi. Bien des fois, tu appuyais tes pieds contre moi et je te prenais les mains pour te mettre sur mon sommet à l'abri des vagues. Tu parlais d'un ton doux pendant des heures, et quand l'eau se gonflait en me couvrant presque, tu te mettais debout, tu prenais de l'élan et tu te jetais dans ses vagues. Au début, j'avais peur, puis j'ai senti que le jeu t'amusait. Alors j'ai ouvert les yeux : je t'ai vu sauter et descendre au fond de la mer pour me saluer sous l'eau très claire.

"Je ne peux oublier le jour d'hiver où, assis en tailleur, engoncé dans ta djellaba en laine, tu m'as dit que tu allais partir. Je t'ai senti, à cet instant, confus et perdu. Après, tu venais me voir souvent en me parlant une langue que je ne comprenais pas et, de temps en temps, tu me disais que tu te préparais à partir loin de ton sol, de ta famille et de tes amis. Je ne te croyais pas capable de le faire. Puis, un jour, j'ai goûté les larmes amères que tu as versées sur mes joues !"

Dehors, la confrontation se préparait. Les deux agents faisaient des paris. Tout d'un coup, les chiens attaquèrent, puis l'homme harponna deux d'entre eux. Le troisième s'enfuit en emportant entre ses dents la prothèse qui servait de pied gauche à l'étranger.

La journée touchait à sa fin quand le petit nerveux dit : "Chef, est-ce que je peux conclure ?

—Oui, bien sûr.

—Nous t'avons écouté parler de Joseph, d'Amal et de Fatima, puis tu as parlé de l'homme pollué et d'un certain vieillard, à vrai dire, je n'ai rien compris, mais tout est écrit dans le procès verbal."

"Tout fut écrit avant sa naissance! dirent les anges. Peut-être que le juge, lui, comprendra!"

Le gros policier n'avait plus aucune question à poser. Maintenant, le petit gros, nerveux, toujours prêt à bondir, somnolait, le front contre la machine à écrire. La lumière du couloir entrait de par le dessous de la porte. Dans la pièce blanche, seule une lampe de bureau était allumée. Mustapha était fasciné par le voile obscur qui enveloppait une grande partie de la salle et derrière lequel les deux anges lui souriaient.

Le lendemain, le juge avança dans la salle. Mustapha se sentit délivré, il avait hâte d'en finir, il leva la tête avec ardeur. Sur son visage blême, ses yeux s'ouvrirent. Mustapha sentit une chaleur monter en lui, il rougit et se mit à sourire.

"Il sourit! dit le chef en le secouant. Je vais ordonner son transfert à l'hôpital, car je sens que je ne suis plus le maître ni de sa vie ni de sa mort."

Le retour d'Angéla

Mustapha était seul dans la cellule aux murs humides. Le temps, ponctué par le vacarme des portes qui s'ouvraient sur d'autres portes, semblait immortel. Les seringues et les hommes masqués brûlaient son sommeil peuplé de rêves et son âme qui vivait d'odeurs. Les jours passaient et l'ennui rongeait les réserves de patience qui maintenaient Mustapha en vie. Il pensa à la potence. Mais il aimait tant la vie où son reflet, sa chère, son autre moitié l'attendait avec courage. Elle venait le voir régulièrement. Les murs captaient ses larmes et reproduisaient les échos de ses cris d'amour, elle lui disait :

"Je t'attendrai, comme les fleurs attendent, pour s'ouvrir, que le soleil réchauffe la terre. Je suis contente de toucher ton visage et triste de ne pas t'entendre. Sans toi, seul le noir m'entoure. Tu es la flamme qui me permet de me voir dans un miroir. Mon âme est joyeusement habitée par l'ombre de ta vie qui coule comme un fleuve d'eau douce sur une prairie. Je contemple le fond de la source que tu ignores. Nous y sommes près de ton rocher. Toi, assis en tailleur, et moi, couchée sur une herbe fleurie. Je regarde le bout de l'arbre, que nous avons planté, il y a longtemps. Ma tête est sur tes genoux et le vent joue avec mes cheveux qui ont poussé depuis.

"Tu es captif de cette jungle où les lions mangent les gazelles, où les balles percent le corps de l'oiseau muet. Depuis la naissance de l'épine, le sucre est amer. Ton intérieur est en désordre et l'énergie qui l'en guérirait se consume en dehors de toi sur des plaines sans mur.

"Pense à nous deux, marchant main dans la main sans adresse ni bagages sur cette première couche de neige fine et vierge. Le chemin est désert et les murs sont derrière, démolis par le temps. Ce n'est qu'un moment de passage. Je sais qu'on a voulu te punir. Je ne te vois pas, une bombe à la main, en train de préméditer la mort de quelques passants dans l'espoir de voir un jour ce monde changer. Je sais que ce n'est pas ton genre. Tu es, pour moi qui te connais assez, rempli d'un tendre espoir. Alors, patience. Tu respireras l'air pur à mes côtés, et ensemble, nous jouirons de la vie en toute liberté."

Pendant ses visites, Mustapha ne clignait pas des yeux. Il la regardait comme s'il était un assoiffé du désert, et elle, la main de Dieu remplie d'eau fraîche et pure. Il se remplissait les poumons de ses odeurs. Ses mots conduisaient en ses profondeurs une énergie chargée de vie et de bonheur. Elle transperçait les murs, laissant des trous d'où la lumière du jour se pressait d'entrer pour illuminer la cellule sombre. La nuit, la lampe éteinte gardait les murs frais et obscurs. Mustapha trouva un sommeil profond comme celui des enfants aimés.

Les lettres

Ce soir là, sur la ville de Tanger, le ciel était fort chargé. Le père de Mustapha, fatigué, luttait pour maintenir ouvertes ses paupières lourdes de sommeil. Il ne sentait plus ses mains ni la pointe de ses pieds. Il avait mal au dos. Etendu sur le lit au milieu de la chambre, il tenait absolument à finir le conte qu'il lisait sans doute pour la énième fois. Le ventilateur, posé sur la petite table au coin du lit, tournait inlassablement sur lui-même. Le vieux recevait de l'air frais qui traversait tout son corps usé par le temps. L'air faisait danser les rideaux qui séparaient la cuisine de la chambre à coucher. Il ne voulait pas penser à l'inévitable passage aux toilettes et à la salle de bain qui mettait fin à toutes ses journées. Il n'était ni réveillé ni endormi. Il entendait encore la voix des couples et des groupes qui avaient, ce soir-là, dîné au restaurant. Les visages défilaient dans sa mémoire.

Dans ces premières étapes du sommeil qui créent des images floues et ambiguës, le père vit son fils se baigner dans une rivière desséchée. Il voulait la traverser. Les courants l'emportaient. Le fils était vêtu de blanc. Le père essuyait son front ruisselant de sueur. L'autre fils, un parapluie à la main, protégeait son frère du soleil de midi. Dehors, de la foudre et des grondements de tonnerre avaient définitivement réveillé le père qui maintenant écoutait l'averse tant attendue.

Le téléphone sonna. Il sauta de son lit et répondit sous le regard inquiet de sa femme. C'était une voisine qui les invitait à la circoncision de son fils qui allait avoir lieu la semaine suivante. Il pensa au rêve. Il alla à la cuisine, ramassa le courrier et s'assit. Deux lettres provenaient du Maroc, deux autres de France. Il ouvrit celle de son frère qui habitait le Sud. Il tremblait, mais la lettre était joyeuse. Il avait assez plu. La récolte était bonne. La famille se portait bien. Sa nièce s'était mariée. L'un des cousins avait soutenu sa thèse en médecine à Rabat, l'autre avait eu un petit garçon qu'on avait nommé Rachid. Le père pensa au mariage de son fils Mustapha et au jour où il serait de retour avec le doctorat français qui honorerait toute la famille.

Le père prit un stylo et se mit à écrire une lettre à Mustapha. A la fin, il exprima le désir de le voir rentrer au pays l'été prochain, ne serait-ce que pour un instant, ne serait-ce que pour un regard. A vrai dire, rien ne lui manquait en dehors de Mustapha et Ahmed, sa progéniture mâle. Cela faisait sept ans que le frère aîné n'avait pas quitté Bordeaux pour mettre les pieds à Tanger. Les trois sœurs s'étaient mariées. Elles habitaient le quartier qui donnait sur la plage où Mustapha avait abandonné son rocher. Entouré de femmes, le père se sentait seul. L'aîné le comprenait sans pouvoir l'aider. Il était absorbé par la France et habitué à son rythme. Il ne voyait rien en dehors d'elle. C'était son océan, ses montagnes, son désir à lui.

Le père posa son stylo et ouvrit la deuxième lettre qui provenait de Dadi, l'ami lillois de Mustapha. C'était un courier rapide. Le père repensa au rêve. Il trembla à nouveau. La lettre n'était pas joyeuse. Mustapha était dans un semicoma depuis deux semaines. C'était un choc. Deux minutes auparavant, il l'imaginait debout, habillé en costume devant sa femme en blanc. Maintenant, il le voyait couché, passif, attendant son heure. Il repensa au rêve. Il relut la lettre. Entre les lignes, le ton et la voix lui allaient droit au cœur.

Il ouvrit l'armoire. Avec l'aide de sa femme, il ramassa quelques affaires et les entassa dans un sac. Il fourra sa trousse de toilette et une paire de chaussures dans un autre sac pendant que sa femme téléphonait à l'oncle Fouad pour le mettre au courant et le charger du restaurant.

A l'aurore, à bord du premier bateau en direction de l'Espagne, le père quitta la ville encore endormie où il venait de cesser de pleuvoir. Il tenait, dans une petite boîte de couleurs vives, un morceau du rocher que son fils Mustapha avait, longtemps auparavant, apprivoisé.

Le rocher retrouvé

Il faisait soleil en ce jour de printemps. Le ciel lillois était entièrement dégagé. La ville sortait de son hiver triste et long. Les gens prenaient leur temps autour des bancs transformés en estrades pour les musiciens amoureux du macadam des villes. Dans cette cité qui retrouvait la vie, tout semblait oublier l'état de Mustapha, son silence et les peines qui risquaient de l'emporter à jamais.

L'hôpital bourdonnait d'activité. Dadi et Angéla accompagnaient le père dont le cœur battait fort. Il avait très peur de cette rencontre avec son fils. Il aurait voulu être couché sur un lit d'hôpital et souffrir à sa place. Il souhaitait voir son corps se recroqueviller sous le poids de la vieillesse et celui de son fils s'ouvrir à la vie.

Dans la chambre de réanimation, Mustapha, intact, était couché comme un ange. A la vue du père, l'infirmière, qui demandait à Mustapha de lui serrer la main et qui désirait tant voir les narines du malade frémir au parfum qu'elle lui faisait sentir, se mit debout, s'approcha du lit, lui fit un sourire tendre et quitta la salle. Le père, sans savoir quoi faire, s'assit sur une chaise, se pencha sur son fils et lui baisa le front. Après un moment de silence, il prit la main de Mustapha et dit :

"Fils, ne me quitte pas comme ça, sans un mot et sans un regard. Non, ne t'en va pas avant moi. Tu es ma vie. Sans toi, les douleurs du vide me rongeraient jusqu'aux ongles. Mon esprit se fissurerait et le dehors me brûlerait l'âme.

"Tu sais, je t'entends respirer tout bas et les battements de ton cœur ressemblent à ceux que ta mère me faisait sentir quand tu étais bien à l'abri dans son ventre. Elle est folle de toi, tout comme moi, tu es son ange envoyé du ciel. Tu lui es nécessaire. Elle t'a tant dorloté. A trois ans, elle te donnait encore le sein. Rends-toi compte ! Cela en a fait, tu sais, des jaloux !

"Bien souvent, nous t'avons regardé rire, parler et jouer avec les autres. Nous avons admiré ton énergie sans fin. Avec nous et ceux de ton âge, tu as été doux au point que nous n'avons jamais eu besoin de lever le ton, mon fils. Tu as été notre enveloppe remplie de musique et de joie. Tu nous as apporté un bonheur qui ne nous a plus jamais quittés. Enfant, tu adorais nous prendre la main pour nous amener à la plaine qui donne sur la mer. Tu as été fasciné par les couchers du soleil et tu ne quittais pas des yeux les paquebots qui traversaient le détroit. Tu m'as poussé à t'inventer des histoires de toutes pièces pour te dire où ils allaient et ce qu'ils transportaient. Dans bon nombre de cas, tu as été bien évidemment complice.

"Avec ton frère aîné, tu as joué au ballon ou à la guerre, tu as été l'Indien, il a été le cow-boy. Tu as lancé les flèches de l'arc que tu t'était fabriqué toi-même. Il a tiré de fausses balles des pistolets faits en Chine. A la plage, je me souviens de la lumière du soleil qui a éclairé vos visages d'enfants purs, quand vous construisiez les châteaux de sable où vous vouliez loger les pauvres et les sans-abri. Tu as refusé de les détruire, tu as tout fait pour empêcher les vagues de les noyer jusqu'au jour où tu as compris qu'on ne résiste pas à la mer. Puis, tu aimais te jeter dans les vagues et tu ne voulais jamais sortir de cette eau azurée qui, parfois, était glacée. Après avoir appris à nager, tu aimais disparaître sous l'eau et mon cœur battait de peur. Je craignais pour toi la colère de la mer.

"Un jour, les portes du ciel étaient ouvertes. La lumière et l'air ont rempli la vue et libéré le regard de ceux qui se tenaient sur le rivage. Et toi, tu as marché à pas posés sur le sable mouillé, mains dans les poches. La mer se retirait en rythme et le soleil, en face de toi, se couchait avec les mouvements de tes pas. Tu as été comme attiré par un aimant. Je t'ai vu, d'un seul coup, virer vers le côté gauche en direction d'un rocher. Après un moment de silence, tu l'as salué de la main droite que tu as ensuite embrassée. Après t'être déchaussé, tu as tourné autour du rocher comme si c'était un marabout, et tu es monté dessus. Genoux croisés, tu as contemplé le Nord sous le crépuscule de cette fin de journée où tu avais apprivoisé un ami muet. A partir de ce jour, et tous les autres, tu le retrouvais à marée basse et à marée haute. Tu jouais avec lui et les vagues. Tu lui parlais. Tu le présentais à tes amis qui, eux aussi, avaient leur propre rocher.

"Je sais qu'après, le rocher est devenu ton tapis de prière et que tu avais du mal à t'en séparer. J'ai vu cela dans tes yeux le jour de ton départ. Sache que ton ami fidèle n'a pas beaucoup changé, malgré les semaines ou les siècles de tempête. Il est toujours debout à t'attendre. Avec sa permission, je t'ai ramené une partie de son corps qui ne bat que pour toi. Tiens, touche et sens la lumière de ta vie."

Après un long moment de silence pendant lequel les murs blancs de la chambre paraissaient émus, Mustapha, tout doucement, sortit de sa nuit foncée. Il tendit sa main droite pour recevoir le morceau de rocher qu'il serra fort entre ses doigts et, les larmes aux yeux, il sourit.

Déjà paru

Dans la collection *Roman*

Dans la collection *Grands Classiques*

Avec le concours du
Service Culturel de l'Ambassade
de France au Maroc

Achevé d'imprimer en janvier 1996
sur les presses de l'imprimerie
Afrique-Orient
Casablanca